だいわ文庫

銀座No.1ホステスの心をつかむ話し方

水希

大和書房

はじめに

数ある本のなかから、この本を選んでくださってありがとうございます。

私は「激しい人見知り」「引っ込み思案」「気が利かない」「プライドが高い」という、コミュニケーション下手のモデルのような人間でした。

そんな私が「あの娘《コ》は、営業しなくてもお客様が店に来るらしいよ」と他店のホステスから噂されるホステスになることができました。

編集や広報の仕事をしていた私が「夜の銀座」という世界へ飛び込んだきっかけは、仕事での人間関係がうまくいかなかったり、うまくインタビューすることができなかったりと、できないことが続いて、うつっぽくなってしまったことにありました。

ついには、9時から17時で毎日働くことができなくなってしまい、しばられた時間帯で働かなくても生活していける仕事ってなんだろうと考えたのです。勤務時間

4時間、毎日働かなくてもよい、それでも暮らしていけるという条件を満たす職場として水商売があったのです。

私は、社会心理学の修士号を持っていましたので、本当の社会を知りたいという興味も手伝って水商売をやってみようと決意しました。

うつで、コミュニケーション下手なのに、水商売⁉ と驚かれる方もいらっしゃるでしょうね。やはりはじめは、元来のコミュニケーション下手が手伝って、なかなかうまくいかず、悔しい思いばかりをしていました。

ある店のママには、「あなたは座っているだけで絵になる美人ではないのだから、もっと気遣いしなさい！」と怒られつづけました。

気が利かず、ママから灰皿が飛んでくるお店もありました。

しかし、そのころの私には、水商売の世界しか存在できる場所がありませんでした。うつに対する社会の理解が、いまのようにはなかったからです。

お店では、いつも「どうしたら売れっ娘になれるだろう」と考えて、努力していました。でも、いまいちのところでとまってしまいます。

成績はいまいちでも、コミュニケーションはとりあえず人並みになれた気がしたので、昼の世界に戻ろうとしたこともあります。

しかし、うつは治っていなかったので、うつを自分でコントロールできるようにならなければ、昼間の世界へは戻れないと思い、「カウンセラー」の養成学校や「コミュニケーション」のセミナーに通ってみたのです。

そこで習ったことを、お店で順番に、今週はこのテクニック、来週はあのテクニックと練習をつみかさねていったところ、いつのまにか、自分がナンバーワンの座にいたのです。

ウソみたいな話ですが、テクニックってこんなに力があるんだと、自分でもびっくりしたくらいです。

そして、気づいたことがありました。上質なコミュニケーションをするには、自分が話すのではなくて、相手に話してもらい、相手の話を使うのだということです。

人は皆、自分の話を聴いてもらいたいのです。ならば、自分が必死に「あれ話そう」「これ話そう」と考え、会話を仕切るよりも、相手の話を真剣に聴いて、どんどん相手に話してもらって、気分をよくしてもらえばいいのではないか。そう開き直った瞬間、私はまたたくまに売れっ娘になれたのです。

いま私は、自分がカウンセリングを受けて人生が劇的に変わった経験と銀座での経験から、会話技術や人との関わり能力が人生を豊かにすることに気づきました。おひとりおひとりにじっくり向き合って、人生を豊かにするお手伝いをしようと志し、心理カウンセラーとして活動しています。

大学院で学んだ社会心理学・うつ・社会人・夜の世界で得た経験と知恵を活かした、机上の空論でなく、現実に根ざしたカウンセリングが私のカウンセリングです。

もしあなたが、いまコミュニケーションで悩んでいるなら、この本で紹介しているテクニックをひとつひとつ身につけていってください。気がついたときには、きっと誰からも好かれるあなたになっているはずです。

誰からも好かれるようになったあなたに、いつか会えることを楽しみにしています。

銀座No.1ホステスの心をつかむ話し方＊目次

第1章 最初の5分で「この娘、わかってる」と思わせる

第2章 出会って10分、まだ自分からは話さないでね

第3章

相手のタイプを見極めて、効果的に「ほめあいづち」

第4章

15分たったら、そろそろ会話で盛り上がりましょう

第5章 これができたら無敵 もう一度会いたい女性《上級編》

第6章 「愛」と「情」で本当に魅力的な女性になる

第1章

最初の5分で「この娘、わかってる」と思わせる

一目ぼれさせるなら、出会って5分！

「お客様に選ばれなくてはいけない。制限時間は、5分」

ホステスを仕事にして、はじめてこの原則を知りました。

私のホステスデビューは、いわゆるキャバクラと呼ばれるお店でした。はじめてもらった源氏名は「水希《みずき》」。そこで、この本を書くにあたってのペンネームも「水希」としました。

ホステスの席のつけ回しは、通称「黒服」の男性スタッフがおこないます。黒服に「水希さんです」と紹介され、お客様の席につきます。あいさつがすんだかなぁの、5分くらいたったころに、また黒服に呼ばれ、別の席へ。

実は、ホステスは黒服に呼ばれ席を移るときに、お客様から「場内指名」という指名をしていただかなければいけません。指名していただけなければ、永遠にあちらの席、こちらの席と5分間接客を続けることになります。

私の初日は、1本も指名をいただくことができませんでした。最後の1時間は、待機席という場所から、ぼーっと客席を眺めていました。

待機中に気づいたのですが、同じ新人でも上手に指名をいただいている娘もいるのです。違いは何だ？　とあなたも思うでしょ。

「美人だから？」

「かわいいから？」

いえいえ、そうでもありません。

夜の世界で働こうという娘は、ある一定水準以上には、美人だったり、かわいかったり、何か魅力的だったりします。そのなかでも差があるんですよね。

正解は「なんとなく、もう少しそばにいてほしいような、会話したいような温い雰囲気を持っている」娘なんです。はじめの5分で指名をとれる娘は、顔のつくりや会話以上に、好印象を与えることが天才的にうまいんです。

会社や学校など、あなたの身のまわりにも、とりたてて目立つ存在でもないのに、人気のある娘って、いますよね。

ところで、あなたは、いまでは親友・彼氏・友人という人の第一印象を覚えていますか？　たいていの場合、はじめから好印象だったはず。心理学では初頭効果といって、第一印象がその後の人間関係を左右する、という実験結果があります。はじめに「良い」印象ならば、その後のつきあいも「良い」関係がつくりやすくなります。反対に、「悪い」印象だと、関係をつくりづらくなります。

はじめに「苦手だな」「こわそう」と印象を持つと、話しかけづらいですよね。必要以上に気を遣って、少しでも表情がこわばったら、「あっ、機嫌が悪いのかな？」って思ってしまう。本人は、ただ考えごとをしているだけかもしれないのに。よっぽどのことがない限り、この「負の連鎖」は続きます。

お店でも、はじめに「苦手だな」と印象を持ったお客様とは、何度お席について話しても、その後、発展することはめったにありません。悪い印象をひっくり返すのは、好印象を与えたときの8倍、時間がかかると言われているくらいです。

私はホステスという仕事がら、たくさんのお客様から好かれなければやっていけません。ぼーっとしていると、ほかの娘にお客様をどんどんとられてしまいます。

はじめは、「5分で何がわかるの？」と思っていました。でも、あとから知ったことなんですが、その「はじめの5分」で、すべてが決まっているんです。

心理学的には第一印象の法則といって、私たちは出会ってすぐに印象を形成し、4分以内に相手の印象を決定づけるのだそうです。

まったく指名がとれなかったダメホステスの私。いまは、場内指名などという制度のないクラブに所属しています。

「ここの店は、指名制ではないって聞いたんだけど、君、とっても感じがいいから、どうしても話してみたくて、無理言って呼んでもらったんだ」

と、遠くの席のお客様から、お声がかかります。

「水希ちゃんは、最初に会ったときの印象がよくてね、なんかその印象だけで、なんとなく長いつきあいになるなって思ったんだ」

と、常連のお客様に言われるようになりました。

「自分の印象は、出会って5分以内につくられる」

やっぱり、「一目ぼれ」って昔から言われるのには、根拠があったんですね。

ただ、第一印象に磨きをかけるためには、実は総合力が必要。くわしくは、最終章までに仕上げていきましょう。いまは、はじめに「良い」印象を残すことが大切だってことだけ、頭のすみに置いておいてくださいね。

売れっ娘の見た目を真似たら……あら不思議

クラブへと店をかえて、私がはじめに取り組んだのは、外見です。その店で人気があったホステスの髪型・お化粧・衣装・持ち物・表情・しぐさ・しゃべり方、すべてを真似しました。

会話や気遣いなどは、場数を踏んで身につけていくものです。はじめの5分、いますぐにでも効き目のあることとなると、やっぱり外見。

新人のころ、表情・しぐさなどの外見はナンバーワン風を演じていましたが、内心は緊張して、いまにも倒れそうな私。お客様はこんな言葉をかけてくださいました。

「水希ちゃん、ほんとに新人？　ナンバーワンの風格があるよ。先が楽しみだね」

「話すとまだまだ。だけど、いい雰囲気、持ってるよね」

キャバクラデビューのときと違うところは、はじめの5分の大切さを知っていて、外見を工夫したことだけ。正直、こんなにうまくいくとは驚きでした。

ところで、私たちは、言葉を巧みに使うことで、相手とコミュニケーションしていると思っていますよね。言葉の巧みさがコミュニケーションのうまい・下手を決めていると思いがちです。

でも、思いだしてみてください。私たち人間はもともと言葉が巧みだったのでしょうか？　猿人から人に進化する過程では、当然、言葉よりも、しぐさや態度、微妙な声のトーンなどでコミュニケーションをとっていたはずです。人が言葉を手にしたのは、ほんの最近とも言えるんですよね。

鳥は、オスがとてもきれいで、メスが地味。オスが派手なのは、メスに選ばれ、子孫を残す相手になろうとするからです。オス鳥の求愛ダンスを、あなたもきっとどこかで見たことがあると思います。

人間以外の動物は、言葉を発展させる代わりに、態度やしぐさでコミュニケーションしています。私たちも、言葉だけでなく態度やしぐさから、いろんな情報を受け取る傾向があります。だから、「空気が読めない」なんてフレーズが流行るのかもしれませんね。

私たちは、目の前の相手のことを、会話の内容と同時に、見た目・表情・しぐさ・声の感じなどの外見も含め、トータルで判断しているのです。

言葉以外の部分で、自分の情報が相手に伝わり、同じように、相手の外見から情報を受けとっているわけです。

カウンセリングの現場では、この外見の情報がとっても重要です。たとえば、クライアントが「だいじょうぶです」と一言、言ったとします。

肩を落として、下を向いて、声を震わせながら言った「だいじょうぶです」。

声に張りはないけれど、こちらを見て、少しつくり笑顔で言う「だいじょうぶです」。

こっちをまっすぐ見て、きっぱりとした口調で言う「だいじょうぶです」。

笑顔で柔らかい口調で言う「だいじょうぶです」。

言葉は同じ「だいじょうぶ」でも、発信しているメッセージは違いますよね。

たとえ黙っていても、なんらかのメッセージは伝わっています。外見から相手に与える印象を研究するだけでも、人を惹きつける力がぐっとアップしますよ。

私の場合、ホステスのときには、男性に好まれることを第一に、お化粧・髪型・

衣装・しぐさ・表情・声のトーンや速さを演出しています。

カウンセラーのときには、安心・信頼感を与えるようにと演出しています。研修講師のときには、ビジネスの場ですから、信頼感にきちんと感をプラスします。

昔は、「何がTPOだ。大切なのは個性」と思っていました。しかし、ビジネスシーンに銀座風で出席すれば、「派手でちゃらちゃらしている女。誘ってください」というメッセージを、黙っていても発信することになります。たしかにモテはしますが、仕事にはつながりません。

あなたも、会社・デート・合コン・友人との集まりなど、会う相手別に、外見を演出することを意識してみるといいですよ。

外見を整えると、行動心理学的にもいいことが4つもついてきます。

1 積極的になる
2 自信が湧いてくる
3 満足度が上がる
4 不安が減少する

「メイクセラピー」という言葉を聞いたことはありますか？　最近、老人ホームを中心におこなわれているセラピーです。

お年寄りにお化粧をすると、会話が増えたり、物事に対して積極的になったり、認知症の症状が軽減されたりするという調査結果もあるんです。

私も、これは日々実感しています。夕方から出勤準備で、夜のお仕事用のお化粧をはじめます。すると、完成するころには、気持ちが「水希」に、ピシッとはまってくるのです。

新人のころ、「売れっ娘、水希」に変身すると、内心はどんなにビクビクしていても、気の利いた会話ができなくても、なぜかお客様には好まれました。そうして経験をつんでいくうちに、名実ともに「売れっ娘、水希」ができあがりました。

外見を整えて、徹底して演出することは、第一印象をよくするだけでなく、自分に自信を持たせ、積極的な行動をとらせてくれる効果があるんです。

外見に自信がないというあなた、会話に自信がなくうまく話せないというあなた。だいじょうぶです。外見を整えると、内面はあとから自動的についてきますよ。

#「あなたと私は似ています」を最初に伝えます

外見から得る・発信する情報の重要性をわかっていただけたでしょうか？

言葉では「はじめの5分」で、あいさつぐらいのやりとりしかできないですね。

でも、外見によって、多くのメッセージをお互い送受信できることを知りました。

もっと言葉以外の力を活用していきたいですね。

あるとき、1人のお客様に、8人のホステスが席について接客することがありました。私は席の争奪戦に負け、お客様から一番遠い席。このお客様を獲得するには、とっても不利な条件です。

会話はもちろんできないので、ダメもとであることに注意して、それをひたすらやっていました。たとえば、そのお客様と同じタイミングで水割りを飲んだり、タイミングをあわせて同じ姿勢に変えたり、手振り身振りをあわせたり、などです。

すると、

「おい、そこの娘。隣に来い」

と、お声がかかったのです。ママ以下、全員びっくりです。

「君だけ熱心に話を聴いてくれた。これから君が担当だ」

言葉以外のメッセージの力、本当にすごいでしょ。

ここでの水希は一言も発していません。一言も会話しないで、相手に選ばれるテクニックがあったら知りたいですよね。水希が注意していたあることって、いったいなんだったのでしょう？

その前に、結局のところ、私たちが世の中で一番好きなのは誰だと思いますか。

夜の世界では、「お客様を見ると、ホステスのキャラがわかる」と言います。あくの強いお客様ばかり担当している娘は、やっぱりあくが強いです。几帳面なタイプのお客様が多い娘は、几帳面。陽気なお客様の多い娘は、陽気。押しの強いタイプが多い娘は、押しが強い。繊細なお客様が多い娘は、繊細。おもしろいくらいに、同じような性格・タイプのお客様を担当しています。

アメリカの心理学者ニューカムは、交友関係について、学生寮で半年の観察調査をおこないました。すると、はじめは部屋の近い者同士が仲良くなったのですが、相手の人間性がわかるようになると、だんだん態度や考え方が似ている者同士が仲良くなることがわかったそうです。自分と性格や思考が似ていると惹かれあうんですね。

私たちは、究極的には自分が一番好き。だから、人は自分と似た人が好きなのです。お客様を見るとホステスのキャラがわかるのも、うなずけますよね。

「はじめの5分」で「あなたと私は似ています」とメッセージを送ることが、一言も会話をしないで相手に好かれる秘密です。そこで、テクニックとして最初に実践していただきたいのが**「姿勢あわせ」**です。

私たちは、出会ってすぐ相手の好き・嫌いを決定づけていましたよね。一瞬に効くものは、言葉ではなくて外見情報です。

相手にとって、あなたが鏡に映った相手の姿になるように、姿勢をあわせていきます。

カフェやレストランで、カップルや友だち同士を観察してみると、不思議と同じような姿勢で座っていたり、同じタイミングでお茶を飲んだりする光景を見たことありませんか。

これは、仲の良い者同士のしぐさが似ているのではなく、しぐさが似ているから仲が良くなったのです。だったら最初からしぐさを似せていけば、「この人、好きかも」と感じてもらえますよね。

私はこんなふうに使っています。

たとえば、お客様が水割りを飲むタイミングにあわせて、水割りを飲む。前のめりの姿勢をとっていたら、前のめりに。足を組んだら、腕をクロスさせます。

通常の場面だったら、足を組んであわせますが、ホステスの場合、足を組むことは禁止です。こういう場合には、どこかクロス可能な部分でクロスさせるというちょっとした応用テクニックを使います。

女性が男性にあわせようとすると、どうしてもやりにくい姿勢が出てきます。応用テクニックを使ってくださいね。たとえば、足を開き気味に座っている場合などは、腕を開き気味にするとか。

「姿勢あわせ」が、どうしてもうまくできないときもあります。そんなときは、お食事の場面だったら、同じ食べ物を注文したり、同じ飲み物にしたりというふうにアレンジしてもいいですよ。ポイントは似たもの同士のメッセージですから。

このとき注意する点が2つあります。

1つは、鏡に映ったように姿勢をあわせるので、左右が逆転します。相手が左手を上げたら、あなたは右手を上げることになります。

2つ目は、相手に真似していると気づかれないように、自然と姿勢があってきているという感覚で実践してください。

この**「姿勢あわせ」**、いまでは当たり前のテクニックとして知っている方も多いと思います。私も最初は、当たり前で、単純で、簡単なテクニックなので半信半疑でした。しかし、冒頭のようなことが連続して起きたので、この当たり前で単純なことの効果を思い知らされたのでした。実は、いまでも一番気をつけているテクニックかもしれません。

どうしても気を惹きたい相手がいるなら、**「姿勢あわせ」**で似たもの同士をアピールしてみてください。はじめの5分は、外見で会話していきましょう。

「自分のことをわかってくれる」娘が気になるもの

「はじめの5分」は、見た目で会話する。まずは「姿勢あわせ」をおこない、態度やしぐさで似た者同士をアピールすることを覚えました。次は、声のトーンなど、耳から入る言葉の内容以前の面で、モテてしまう技術です。

新人のころ、よくこんな失敗をしてお客様を怒らせていました。

愛情を声に乗せて、明るくあいさつしたままの声の高さ・テンポ・大きさで、ずっとお客様と話をしていました。そのお客様は、ボソボソとお話しされる方。なんとなく、話しづらそうだなぁと思いながらも、場を明るくして盛り上げなきゃと話していたら、

「悪いけど、君の話し方、疲れるんだ。しばらく黙っていてくれないか」の一言。

あいさつが終わったら、すぐに声をあわせるのが鉄則です。

人間関係は、ダンスを2人で踊ることだとイメージするといいかもしれません。

お店でのお客様への第一声は、

「いらっしゃいませ」

「はじめまして、水希です」

この段階は、銀座の女性らしく、上品に、明るく、最愛の彼が来たくらいの、とびきり嬉しい気持ちを声に乗せて、笑顔でごあいさつします。日常でも、ここは同じですね。

あいさつ（挨拶）の「挨」は「開く」という意味です。「拶」は「迫る」。自分の心をまず開いて、先に明るいあいさつをすることは、人づきあいの基本ですからね。最初の数秒のつかみは、誰に対しても、愛情と明るさを乗せた声と笑顔の表情でばっちりです。

あいさつがすんで、相手が話しはじめてからが、テクニックの出番です。私たちは、自分に似た人が好き。今度は、声で似た者同士のメッセージを発信します。あわせるポイントは次の3つ。

1　声の高・低

2　声のテンポ
3　声の大きさ

はじめは、お相手のリードでダンスを踊ります。姿勢をあわせ、声をあわせ、2人の一体感をつくっていきます。一体感ができてくると、嬉しいことに、自然に相手の気持ちが伝わってくるようになります。

たとえば、お客様のボソボソとゆっくりとした低い声にあわせて、自分も同じように声を出していく。すると、お客様がお子様との楽しかった思い出を味わいながら、大切に話している気持ちが伝わってきます。

気持ちが伝わってくると、今度は、自然にゆったりとした声が自分から出てきます。さらに息のあったダンスへと発展していくのです。

「お子様と、とってもいいふれあいができたんですね」

当たり前の返事なんですが、自然な気持ちを込めて発することができるようになります。お客様とは、感情のレベルで共通項ができ、「似たもの同士」以上の「共感」メッセージを発信できるのです。

姿勢をあわせて「自分と似ていて、好きかも」の好印象に加え、声をあわせると「自分のことをわかってくれる」の一番重要なメッセージを伝えることができます。

新人ホステスのころ、ハイテンションなお客様が、とても苦手でした。

「君は、オレのことバカにしてるだろ。この席にいなくていい！」

と、お客様に言われたことがありました。そのときは、バカになんかしていないのにと悲しくなって、皆の前でしかりつけたそのお客様を嫌いになりました。

いまではお客様が気分を害された理由がよくわかります。私はハイテンションな接客が苦手なわけではなくて、本当は、そのハイテンションさをバカにしていたのです。

「バカバカしいわ。このテンション」

そう思いながら、あわせていたのでは、伝わってしまいますよね。

「声あわせ」は、いったん自分の考えは脇に置いて、真っ白な頭と心であわせてみてくださいね。そうすれば「似たもの」より一歩進んだ「わかってくれる人」を感じさせる女性になれます。

最近、お店のなじみのお客様に6人くらいでついていたときでした。次のお客様が来店されたのですが、見ると、私のちょっぴり苦手なタイプのお客様でした。

「水希ちゃん、あっちの席に呼ばれるよ。水希ちゃんほど、誰でも受け入れられる人いないもん」

と、そのお客様が言うのです。

「いえいえ。さすがにあのお席は、私が苦手だって、ママ知ってますから、呼ばれないですよ」

「水希ちゃーーん」

「ほら、呼ばれた！　看板娘、頑張ってこい」

お客様を怒らせてばっかりの私も、ここまで成長できました。

はじめの5分は外見で会話する。第2のテクニックは**「声あわせ」**。声をあわせて、感情もあわせていきましょう。

態度に出るYES・NOサインを集めましょう

はじめの5分は、意識してすることがたくさんありますね。姿勢をあわせて似たものをアピールし、声をあわせて感情のレベルを同じにすることをやってきました。ここでは、相手の本心がわかってしまうテクニックです。

たとえば、お客様が暑そうにされているので、「上着、お預かりしましょうか?」と声をかけてみます。「ああ、お願いするよ」と、こちらを向いて私の目を見て返事をされました。こちらを向いて目を見るのが、このお客様のYESのサインであることがわかります。

次に、水割りをつくろうとしたら、「あっ、水割りじゃなくて、少し酔いをさましたいからウーロン茶をくれるかな」と、お客様が新しい水割りを断るお返事。こちらを見ずに、少し目が釣りあがる表情で言われました。これが、NOのサインです。

少し会話が進んできても、まだ暑そうにしているので、「もう少し冷房を効かせましょうか」と話しかけると、「ううん、だいじょうぶだよ」とのお返事。

でも、表情の変化は、こちらの目を見ないで、少し目が釣りあがっていました。これはNOのサインでしたよね。つまり、「だいじょうぶだよ」は本心ではないということがわかります。

「私たちも、ドレスで肌を出していても少し暑いですから、温度、下げますね」とお客様に伝えると、こちらを向いて目を見て「本当？　そうしてくれると助かるよ。君たちが寒いだろうと思ってね」とのお返事でした。

人は、必ずしも本心のみを言葉にするわけではないのです。お客様の本心を見のがさず、いいタイミングで気配りができれば、僕のことをよく見てくれている娘だなと、相手は感じはじめます。

言葉に表れない相手独自のＹＥＳ・ＮＯのサインを発見しておくことは、のちの章で説明する気配りの面でもとっても重要。また、相手の「真意のしるし」を知っておくと、会話を広げるときにもかなり役に立ちます。

そこで、まず、とってもわかりやすい判断基準から。

相手の体が開いているか、閉じているか。開いているときは、「あなたを（あなたの意見を）受け入れています」というYESのサイン。逆に閉じているときは、NOのサインです。

常連客に連れられて、はじめて来店されるお客様は、すべてにおいてアウェイですから緊張しています。着席するなり、足を組んだり、腕組みしたり、何かしらガードするように、閉じた姿勢をとられる方が9割です。なかには、かばんやコート、上着をしっかり抱えて座られる方もいます。

ずっと体のどこかが閉じているのですが、おもしろいことに、時間の経過とともに、お店に慣れてくると、足を開いて座るようになったり、腕組みをといたりします。

常連のお客様でも、なじみの娘には体が開いているのに、新人が来ると急に腕組みをしたりします。

初対面に近い方との食事や商談の場面では、相手の体の開き具合を見ながら、いま自分はどのくらい受け入れられているのかを、見極めるといいですね。

また、一般的には、足を頻繁に組みかえたり、貧乏ゆすりをする場合は、イライラしているか、上の空かと言われています。

次は、相手との距離感によって心理的な距離を見る方法です。

アメリカの心理学者カーンは、男女の物理的な距離が近いと、心理的な距離も近いということを実験で証明しています。

では、その距離感を、実際どう使うのでしょうか。

私の場合、座りなおすふりをして、ちょっとずつ近づいて座るようにします。お客様が、まだ私と打ち解けていないときには、わりとすぐにお客様も、さっきまでと同じ距離感をとるために座りなおします。これは、NOのサインですね。

隣に座っていない場合には、グラスで心理的距離を測ります。お酒を飲んでグラスを戻すときに、お客様のグラスのそばにわざと近づけて置きます。

そこで、お客様が自分のグラスをすっとずらしたり、飲んだあとに、私のグラスから離して置いた場合、これも2人の心理的距離はまだ遠い、NOのサインです。

座りなおしやグラスのテクニックは、何度かデートを重ねたけれど、いまいち本心がわからないときに、2人の仲を確かめる判断基準にもなりますよ。

さて、ここまではあくまでもその傾向が強いという一般論のお話。余裕ができたら、冒頭でお話ししたような、目の前にいるその人だけのYES・NOの反応を見つけていきましょう。

やり方は簡単です。YES・NOで答えられる質問をしながら、次の4つのポイントに注目して観察してください。

1　目の動き

2　表情

3　呼吸パターン

4　姿勢の変化

実際には、こんなふうに現れます。

「今日のお昼間は、とってもさわやかで気持ちよかったですね」

と、YES・NOで答えられ、かつ当たりさわりのない質問をします。

「そうだね。ほんと気持ちよかったね」

と、お客様が答えたときの4つのポイントをチェックします。

目を一瞬見開いてから答えたとか、頬がわずかに上がったとか、深い呼吸で話しはじめたとか、うなずきながら答えたとか、いろんなサインが見つかると思います。一応これが、この人のYESのサインかな？　と覚えておきます。

「そうかなぁ。僕には肌寒く感じたよ」

と、NOの答えが返ってきても焦らないでくださいね。相手のNOのサインを集めることになるだけですから。

続けて、「○○さんとは、長いおつきあいなんですか？」とか、名刺をいただいていたら、「○×会社にお勤めなんですね」とか、「上着、お預かりしましょうか」などどんどんYES・NOで答えられる質問をしていきます。そして、サインをたくさん集め、確実なYES・NOのサインを覚えるのです。

これは本心を見極める技術です。会話が進んでくると、相手はどんどん巧妙に言葉で本心を隠すようになります。初期段階で、シンプルなYES・NOのサインを探しておくことが重要です。相手の本心は、体の反応から得ていきましょう。

これが、男性をとりこにする「3つのツボ」です

ホステスとして数千人の男性と接して、男性から好かれる秘密のツボがあることを発見しました。当たり前のことですけれど、徹底すると、あなたの男性ウケは、格段にレベルアップします。「はじめの5分」からは少しそれますが、心にとめておくといいことがありますよ。

まずは第1のツボで、私のなかでは鉄則です。

それは、お客様とお食事に行く際には、必ずお客様にお店の選択をお任せすることです。

もちろん、たいていのお客様は「水希ちゃんの行きたいお店に連れていってあげるよ。どこに行きたい？」と私の希望をたずねます。私も心のなかでは、行ってみたいお店もあるけれど、ぐっと我慢します。

「○○さんがいつも行っていて、お気に入りのお店に行きたいです」

と、あえてお願いします。

男性は、特にはじめてデートに誘ったときは、女性に対して多少の無理をしてでもいいところを見せたいと意気込んでいます。そこで、あえていつもの場所を指定することにより、男性にホームグラウンドで勝負できるよう余裕を与えるのです。

無理してふだん行かないお店に連れていっていただくと、そこは慣れていない空間です。食事の間中、ぎこちなさと緊張でいっぱいになります。心理的距離が縮まらないだけでなく、「疲れる女性」と印象づけてしまい、自分にとってもマイナス。

逆に「いつもの店」に行くと、店のことを熟知しているお客様は、自然にいい格好ができるので、リラックス感が漂います。よけいなことに気を遣わなくていいので、2人の心理的距離もぐっと縮まります。おまけに、「リラックスできる女性」という印象も残せます。

会話にも、男性ウケがよくなる必殺のツボがあります。このツボを押す条件は、男性に話をさせること。

第2のツボは、男性の気分がよくなるツボです。

男性に話してもらうときのポイントは、あなたが「うんちくを聞く」です。

私は、自分のなかで苦手なお客様だったり、共通点が見つからないうちなどは、お客様に「講演タイム」をつくります。

たとえば、ワイン通のお客様だったら、ワインの話を講演してもらう。歴史が好きだったら、歴史を。アウトドア派だったら、アウトドアの話を。

会話がなくて気まずい思いをしているのは、自分もお客様も同じ。どちらかというと、元来、おしゃべりが苦手な男性のほうが困っているものです。そこで、気分がよくなるツボを押しながら、自然に話せるようにもっていくのです。

その材料として「うんちく話」を使います。男性は、得意分野に関しては何時間でも語れるくらい、たくさんの「うんちく」を持っています。

ふだんから語りたくてしかたがないので、「講演」の機会を与えられたら、それこそ生き生きと自然に話しはじめます。

私は、たとえどんなにその「講演内容」に興味がなくても、「うんうん。それで、それからどうなるの？」と話の内容ではなく、お客様の生き生きとした様子を楽しみながら、お話を聴きます。

話をふったら、興味あるそぶりで「講演」を盛り上げていきましょう。

第3のツボは、あなたを追いつづけたいと思うツボです。

たとえば、

「○○さんだったら、くわしいかなと思って」

とはじめて、

「実は、引っ越しをしようと思っているんですけど、女性が住みやすい街ってご存知ですか？」

「実は、クルマを買おうと思っているんですけど」

「ファイナンシャル・プランナーの資格をとろうと思うのですが」

など、相手の仕事・専門分野にからめて、アドバイスをもらえそうな質問をふります。

私の場合、お客様には人生経験豊富な方が多いので、

「人間性を高めるために、読むといい本を教えてください」

「両親に素直になれないんです……」

など、語りも入れつつ、みっちりアドバイスできるものを質問したりします。

このツボは、相談という形をとって、アドバイスを求めることで押せます。

この相談事、本当の悩みはやめましょう。いまは解決していること、とりたてて問題でもないことを選びましょう。本当の悩みにすると、冷静に話が聴けず、途中から自分がつらくなってきたりするからです。

こうして、男性に多く話させると2つのいいことが起きます。

1つ目は、男性は自分の得意分野をあなたに話すことで、自分の存在の重要性を感じ、とても満たされます。あなたも人から重要な存在だと感じさせてもらえたら嬉しいですよね。男性は、女性以上にここに満足を感じます。

2つ目は、男性に話をさせることにより、必然的にあなたの情報を男性に伝える時間が減ります。

「今日も、オレばっかりしゃべっちゃったな。いつも会うまでは、水希ちゃんのこと聞くぞって思うのに。結局、オレ、ろくに水希ちゃんのこと知らないな。だから、すぐ会いたくなっちゃうんだよな」

と、売れっ娘・水希はよく言われます。

男性は、女性を追いつづけていたいのです。すべてを教えようとする女は飽きられます。すべてを知りたいと追いつづける独占欲を、刺激しつづけてくれる女性が好きなのです。

安心して格好つけられるツボ、気分がよくなるツボ、追いつづけたくなるツボ、3つ押せたら最強です。

第2章

出会って10分、まだ自分からは話さないでね

最初のネタふりは「こだわり」を刺激しましょう

第2章は、出会って10分間に必要なテクニックです。この10分間では、まだまだ自分がしゃべることで会話を進めてはいけないと覚えてください。

コミュニケーションはキャッチボールというよりは、ダンス。はじめは相手のリードに任せて、息をあわせることに集中するとイメージしてくださいね。

さて、出会ってからの10分間に達成したいことは、次の4点です。

1　言葉面　①会話のネタふり
　　　　　②相手が思わず話したくなるようにする

2　態度面　③観察して相手の感性〈感覚〉を知る
　　　　　④「あなたに興味津々です」を伝える

これから順を追って、この4つについて説明していきますね。

まずは、言葉面の会話のネタふりです。でもその前に、ネタふりの成功確率を上げるテクニックから身につけていくと、その他大勢の女性と歴然とした差をつけられますよ。

お客様がクラブに来店すると、男性スタッフが、まずお席へとご案内します。次に私たちホステスが、お席につきます。ここから、お客様とのコミュニケーションがスタートします。

「いらっしゃいませ」とおしぼりをお渡しして、ごあいさつ。それから飲み物をご用意しますが、ここが勝負の分かれ目です。


「お水割りでよろしいですか？」

「ああ（もしくは「ウーロン茶ある？」）」

「はい。水割り（ウーロン茶）ですね。かしこまりました」

「うん」

「どうぞ。お水割り（ウーロン茶）です」

「ありがとう」

「お先にどうぞお召し上がりください」

「ああ、ありがとう」

「私たちもいただいてよろしいですか？」

「いいよ。もちろん飲みなさい」


この何気ないやりとりのなかで、どんなことが仕掛けられているか、わかりますか？　俗にいう「ＹＥＳセット」を仕掛けています。お客様が「ＹＥＳ」と答える質問を３回は繰り返す、というものです。

お客様があなたに対して「ＹＥＳ」と言うことによって、肯定的な流れをつくりだせる効果があります。すると続く会話のなかでも、お客様はさほど「ＹＥＳ」と思っていなくても、なんとなく「ＹＥＳ」と答える傾向が生まれるようになります。

無意識的に、自分に対して肯定的になってもらうのです。これから先のコミュニケーションのダンスは、私と踊ると楽しいですよとアピールしていることにもなります。

皆さんだったら、名刺や天気を材料にして「YES」会話を展開するといいですね。名刺交換が終わったら、

「Iさん、はじめまして。お会いできて嬉しいです」
「こちらこそ。Iです。よろしく」（YES1）
「NK会社にお勤めなんですね」
「はい。Kさんは、M商事にお勤めで」（YES2）
「ええ。ところで、Iさんは営業部なんですね」
「はい。といってもアシスタントですが」（YES3）

いつも当たり前に、ただなんとなくしている会話でしょう？　自分から、会話の口火を切ってYESセットを活用すると、相手の無意識にストンと訴えられます。会話の導入部では、まず「YES」の流れをつくってくださいね。

YESセットで肯定的な流れをつくったら、会話の糸口をつかむためのネタふりに入ります。ふるネタですが、長年クラブに勤めてきて一番無難だと感じるものは、

やはり外見です。

男性の場合、時計・靴にこだわりを持っている方が多いようです。時計や靴を見て、ピンとこないときは、スーツ・ネクタイ・ポケットチーフ・カフス・タイピン・ワイシャツ・それらのブランドをチェックして、話をふってみてください。

たとえば、

「その時計、さっきから気になっていたのですが、○×ブランドでも、何か特別な時計なんでしょうか？」

「そうそう。これはね、ワールドカップの記念につくられた、限定品なんだ」

なんて答えが返ってきたら、こっちのものですよね。ワールドカップの話かブランド時計の話を続けていけばいいのですから。

こだわりポイントに見事ヒットすれば、次ページ以降のテクニックで30分は会話を続けられますよ。

まずYESセットで肯定的な流れをつくる。そして、言葉面第1のポイント、ネタふりでは、相手のこだわりを刺激していきましょう。

「うなずき」の達人は、これだけで会話が続きます

YESセットで自分に対して肯定的な流れをつくって、ネタふりをしました。ここからは、態度面で「あなたに興味津々です」を伝えるためのテクニックです。

銀座では、

「どんな仕事をしているのですか?」

「趣味はなんですか?」

「出身地はどこですか?」

と直接たずねるようでは、一流とは言えません。名前すら聞いてはいけないときもあるんですよ。これが銀座ルールです。

出会って10分は、お互いに、目の前の相手はどんな人なんだろうと探っている時間です。ここで、矢継ぎ早に質問攻めにしたらどうでしょう。あなただって同様にされたら、土足で踏み込まれた感じがして気分がよくないですよね。

質問では、どうしても相手に「責められている」という感覚を与えてしまいます。気難しいことで有名なNさん。Nさんは、とにかくこちらから話しかけてはいけないのです。しかし、Nさんの話題には、きちんと答えられ、かつ会話を広げることが求められます。はじめてNさんのお席についたときのこと。

Nさん「明日から福岡出張でね」
水希「福岡ですか？　朝、お早いのですか？」
Nさん「君、人に質問するときは、質問してもよろしいですか？　と了解を得てから質問するもんだろう。まったく失礼な娘だ」

この会話は、普通に出張の会話を続けようとしているだけですよね。Nさんの例は極端ではありますが、会話を続けるために必要なことを教えてくれています。

何か質問をすることで話を掘り下げていくことだけが、会話を続けることにはならないのです。大切なのは、相手が話を続けたくなるようにすることなのです。テクニックとしては**「うなずき」**をマスターしてください。

会話はダンス。話しやすくするために、うなずきでリズムをつくります。カラオケを歌っているとき、タイミングよくあいの手や手拍子があると、気持ちよく歌えますよね。会話でも、次の3種類のうなずきを使いわけて、あいの手を入れ、リズムをつくります。

1　あごが首につくくらいのうなずき（小うなずき）
2　頭が大きく下に動く、大きなうなずき（大うなずき）
3　うなずきと同時にあいづちを入れる

1の「**小うなずき**」は、相手の話の「、」の部分や小さな間に入れていきます。小うなずきといっても、ふだん私たちがしているうなずきよりも、やや大きめです。いつもより、首を縦にふることを意識してうなずいて、話を聴いてください。ただし、大きめにうなずきますが、「うん、うん、それで、それで」という言葉を表現する小刻みな感じは残してくださいね。

2の「**大うなずき**」は、相手の話の「。」の部分に入れます。小うなずきよりも、さらに深く、頭が下に動くうなずきです。「う〜ん、なるほどねぇ〜。それはそれは納得です」という言葉をうなずきで表現する感じです。

まずは、このうなずき2種類を使いわけられるように練習してください。うなずくだけなんですが、意外と首がふれていないものです。鏡を見ながら、50メートル先から見ても、うなずいていることがわかるように練習です。

ちょっとオーバーかなって思うくらいが、ちょうどいいうなずきになります。首の上下運動のつもりで、うなずいてくださいね。

鏡でうなずき方の感覚がわかったら、うなずくポイントをつかむために、テレビを使って練習してみましょう。ショッピング番組の商品説明やニュース、トーク番組でうなずくタイミングとうなずき方の練習です。うなずきがクセになってしまうくらい、練習しましょう。

次は3の**「あいづち」**をうなずきに乗せていきます。小うなずきでリズムをつくるときには、小さく「うん」「はい」「ええ」「はぁ」「ほぉ」「へぇ」と言葉を乗せてください。

大うなずきには、少し目を見開いて、「ふ〜ん」「へ〜え」「は〜」「ほ〜」「え〜」

と自分が無理をしないで会話に乗せられる言葉を選んでください。少し目を見開く態度は、その話に興味があることを伝える意味があるので、なるべくなら言葉だけでなく、目を見開くことにも気をつけてみてくださいね。

実は、カウンセラーは「へー」だけでも何種類ものバリエーションを持つようにと、訓練するくらいなんですよ。

うなずきは相手の話をさえぎることなく、「それで、次どうなるの?」と興味を示したり、「そうなんだぁ」と話の内容をよく理解しました、納得しましたよと伝える威力があるのです。

前述のNさん。うなずきだけで接客をするようにしてから、水希は「失礼な娘」から「君でなくては」の存在になりました。

Nさんを接客している様子は、まわりからは「うなずき人形」と、いまでは笑いのネタにされています。私はこうして、面倒くさかったり、気難しい人を相手にナンバーワンになりました。

うなずきで、リズムをつくると同時に、相手に話の内容が伝わっているんだと安心させてください。すると、相手は思わず話を続けたくなってしまいます。

「私は会話下手」というあなたこそ、うなずき職人を目指してください。うなずきだけで、1時間だって話しつづけられますよ。会話は言葉を発するだけではないのです。

「続きが聞きたい!」を示す「小さな要約」って?

実は「何を話そうか」で頭のなかがいっぱいの人が、コミュニケーション下手の特徴です。あなたは、相手が話している間、頭のなかで何を考えていますか?

もしかしたら、相手の話もそこそこに、「何を言おうか」「これを言ったら嫌われるかな」「あれを言ったらウケるかな」と、頭のなかがいっぱいではないですか?

何を隠そう私もかつては、いつも「何を言おう」で頭のなかがいっぱいでした。

ここからは、言葉面で相手が思わず話したくなるようにするテクニックです。

最近、こんなことがありました。

お客様「こないだ北海道へゴルフに行ったんだけど、北海道でのゴルフはやっぱりいいね。緑の色あいも心なしかいつもより鮮やかで。開放的な気分でのびのびプレーができたよ。おまけに、キャディーが若くてかわいいの。思わず、アドバイスを素直に聞いてたら、優勝しちゃったよ。シングルも確実なんだ」

新　人「Iさんって、ゴルフ好きなんですね」

Iさん「ゴルフは好きだね」

新　人「どんなところがお好きなんですか？」

Iさん「まぁ、いい気分転換になるところかな」

新　人「気分転換はゴルフだけですか？」

Iさん「うーん、ほかにもあるよ」

新　人「……」（質問が思いつかず終了）

「話さなきゃ」で頭がいっぱいな新人さん。ゴルフが好きそうだからと、質問攻めでお客様の会話を楽しむ気をそいでしまっています。

出会って10分では、話の内容を舵取りしてはいけません。相手が話しやすいと感じる環境づくりに徹します。そのために「うなずき・あいづち」のテクニックを身につけました。次は、「質問の代わりに、要約で話をつなげる」テクニックです。

相手の話を的確に要約するためには、話をしっかり聴かなくてはいけませんね。ただ右から左に話を聞くのではなく、話を構成する3要素を把握しながら聴いていきましょう。これは、カウンセラーがクライアントの話を聴く際に使用している技術です。

話の3要素とは、

1　経験　自分に起こった出来事
2　行動　何かしたこと・しそこなったこと
3　感情　経験・行動の原因となった感情
経験・行動の結果、起こった感情

先ほどのIさんのゴルフの話を分解してみましょう。

経験「ゴルフのコンペで優勝した」
「若くてかわいいキャディーが担当だった」
行動「北海道へゴルフをしに行った」

「キャディーのアドバイスを素直に聞いた」
「（ゴルフをのびのび）プレーした」

感情 「開放感、のびのび、わくわく（キャディーが若くてかわいい）、素直な気持ち、嬉しい（優勝して）、期待、誇らしさ（シングルになる）」

実際の会話はどんどん流れていきますので、3要素を拾っていくだけでも、自分がどれだけいままで相手の話を聴いていなかったかがわかりますよ。

経験は？　行動は？　感情は？　と頭のなかがいっぱいになって、自然と相手の話が聴けるようになるんです。この練習もテレビを利用するといいですね。

話を聴けるようになったら、相手に「あなたの話を聴いていて、理解していますよ」と伝えます。

伝える方法は、質問ではなく要約です。要約にも3種類ありますが、一番失敗が少なく、初心者でも使える**「小要約」**を最初にマスターしましょう。

小要約は、相手が話した最後の部分数行の要約です。Iさんの話だったら、

「優勝されたんですね！　おめでとうございます。シングルにもなりそうなんです

か！　すごい！」

と返してみます。コツは、会話のリズムを崩さないようにサラッと要約すること です。「そうそう、それでね、続きも聞いてくれる？」と相手が思わず話を続けたくなるテンポです。

要約を入れるタイミングは、あまり頻繁でもうっとうしくなるので、大うなずきを5回したら、要約を1つ入れるくらいの感覚でちょうどいいかもしれません。

さて、Iさんとの会話、新人さんの質問攻めが途切れたところで、

「優勝されたのだから、今回は、いい気分転換以上ですね！　しかも、シングル目前なんて、さらにワクワクしますね」

と小要約を用いて軌道修正をしてみたら、お客様は嬉しそうに、

「シングルになるのが目標だったからね。オレって、なんでも極めないと気がすまなくて」

と話が続きだしました。

会話は質問ではなく、要約で返しましょう。聴き上手は、話の内容を理解していますというメッセージの伝え上手でもあるんです。

質問しないで会話を続ける「要約のテク」あと2つ

水希が「うなずき人形」になるNさん。Nさんとの2時間は、いつもうなずきと小要約だけで終わります。それだけ、うなずきと小要約の力は強いのです。小要約ができるようになれば、無理なく会話が続いていきますので、コミュニケーションに関する悩みは、ほぼ解消されると言ってもいいでしょう。

要約の技術はとても大切なので、もう少しマスターしていきましょう。

前述したとおり、要約には3種類あります。

1 オウム返し
2 小要約
3 大要約

ここからは前項で説明していなかった**「オウム返し」**と**「大要約」**について説明していきましょう。

「オウム返し」は、名前のとおり、単純に、相手が直前に言った言葉を繰り返すことです。「うん」「はい」のあいづちの変形ですね。たとえば、

「接待でね、てんぷら食べてきたんだ。今日はドイツ人の接待だったから、いつもの倍、くたびれたよ」

「くたびれたんですね」

直前の一言を繰り返すことで、会話にリズムを持たせる方法です。単純なテクニックとしてよく紹介されていますが、実は難しい技術です。いまの話だったら、オウム返しできるポイントが何ヶ所もあります。

「接待」「てんぷら」「ドイツ人」「いつもの倍」

「オウム返し」でよくする失敗は、相手に「えっ？　そんなところをつっ込むの？」と感じさせ、会話のリズムが崩れてしまうことです。

たとえば、先ほどのお客様の会話なら、最後まで相手の話を聴かないで、途中で「てんぷら食べてきたんですか。いいなぁ」なんて返してしまうときですね。

下手にオウム返しをするくらいなら、あいづちやうなずきで、会話のリズムをつくるほうが確実です。

「大要約」は、話の要素が多くなりすぎたときに、自分と相手の認識を整理する意味で使います。この大要約も難しい技術です。

私は、カウンセリング以外の会話の場面では、相手がとても話し好きで、話が止まらないときにあえて使うようにしています。本来なら、話の流れを止めないほうがいいのですが、話好きの人は自分でも何が言いたいのか、たいてい途中でわからなくなります。そして「あれ？　なんの話をしてたっけ？」となってしまいます。

そんなとき、たくさんしゃべってくれるからと聞き流していては、せっかくのうなずきの「興味津々・納得」メッセージが台無しです。新人のころは、私も聞き流していてよく怒られました。上の空で聞いていると、うなずきもおざなりで、お客様に勘づかれてしまうのです。

「水希ちゃん、で、ゴルフはするの？」と聞かれているのに、「へー、そうなんですか」と答える私。しばし沈黙があり、気づいたときにはもう遅い。お客様に「水希ちゃん、質問してるんだよ。話、聴いてなかったな～」と。

この失敗を防ぐためにも、あえて一段落のタイミングで、話を整理して要約することを意図的にやっていきましょう。要約は次のような要領でしてください。

「こんなことがあって**(経験)**、こういうことをやって**(行動)**、それで、いま大変疲れているんですね？**(感情)**」

人の話を集中して聴く限界は60分と言われています。これは、訓練をつんだカウンセラーの耐えられる時間。普通は5分と持ちません。あなたの相手への集中力を保つためにも、あえて**「大要約」**をはさんでください。

大要約をしたけれど、相手から「いや、そうじゃなくて。○○で××で……」と返事がもどってきても心配しないでくださいね。大要約の場合、ポイントのズレも、相手には「一所懸命聴いてくれてるから、ちゃんと説明しなきゃ」という気持ちを起こし、プラスに働きます。

さらに、3種類の要約の精度を上げるためのポイントが2つあります。

1　重要な出来事

2　重要な人物・もの

相手にとって重要な話の要素は、必ず何回も繰り返されます。

たとえば、

「こないだタイにゴルフに行ったんだ。アジアには興味がなかったんだけど、タイっていい国だったな。なんでいままでアジアに興味がなかったのか不思議になるくらいだよ。のんびりできたのが最高だったな。アジアもいろいろ回ってみようかと思ってるんだ」

この場合、もうおわかりですね。そう、最近アジアに興味を持ちはじめたことが重要なんです。一言でいうならキーワードは「アジア」。要約には必ず、「アジア」を入れて返せば、100点です。

私ならこう返すでしょう。

「タイにゴルフに行って、のんびりできて最高だったんですね。新しいアジアという興味の対象もできて。アジアのゴルフ場制覇なんて考えてません？（笑）」

質問の代わりに要約で話を続ける。重要ポイントを盛り込んで、小要約・大要約の技術を磨いてくださいね。

「感性が似たもの同士」を表現すれば高ポイント!

私が相手の話を聴くときは、目の前にいる相手の考え方、感じとり方、行動パターン、好きなもの・嫌いなもの、重要なことなど、あらゆる面から、相手の情報を集めるようにしています。つまり、私は、目の前でその人を理解しよう、知っていこうとしているのです。

ここでは、相手の話す「言葉」から、相手の感性のツボを見つけるテクニックを覚えましょう。

相手の話を集中して聴くことは、プロのカウンセラーでもとても大変な作業です。だからこそ、集中して聴くためのテクニックを駆使して、相手に集中していくことが必要です。

銀座で多くの人と会話をしていると、正直どうしても好きになれない人、話を聴く気になれない人が、なかにはいらっしゃいます。

それでも、1人でも多くのお客様に好かれなくては仕事にならないので、一所懸命、自分の個人的な感情を抑えています。

しかし、感情を抑えるのはつらいこと。そんなとき、自分の気持ちをいったん脇に置いておくために、私はテクニックに集中して、お客様の情報を集め、理解することに徹します。

それが、「言葉」を3種類に分けて、相手のなかで優先的に働いている感性を探るテクニックです。その3つとは、

1　ヴィジュアル重視型
2　サウンド重視型
3　フィーリング重視型

になります。3つの感性のうち、どれが優先的に使われているかによって、同じことを話していても微妙に表現が異なってきます。たとえば、

1　ヴィジュアル重視型

「フィレンツェの街は、ルネッサンス期の息吹が見てとれるんだ」

2　サウンド重視型

「フィレンツェの街は、ルネッサンス期の息吹が小鳥がさえずっているような雰囲気で伝わってくるんだ」

3　フィーリング重視型

「フィレンツェの街は、ルネッサンス期の息吹をいまでも感じるよ」

同じフィレンツェについて話していても、微妙に表現が異なるのがわかりますか？

私たちは、無意識に自分にとって優先的に使っている感性があります。それが何気ない言葉のはしばしに現れています。注意して拾っていくと、相手の感性で誤解なく、「あなたの話を理解していますよ」とメッセージを送れます。

ヴィジュアル重視型には、「お話をうかがっていると、フィレンツェの街の息吹が鮮明に見てとれます」と返すことができます。サウンド重視型には「過去と現代の調和、フィレンツェの街の鼓動が聞こえてきますね」。フィーリング重視型には「フィレンツェの街の感じが、伝わってきます」。

相手の感性に沿った表現なので、この人とは気があうなと無意識的に感じてもらえます。

ネタふりのときに、服装を手がかりにするとしても、

ヴィジュアル重視型　「珍しい色のネクタイですね」
サウンド重視型　「きゅっとシェイプしたラインがすてきなスーツですね」
フィーリング重視型　「とっても風合いのいいスーツですね」

このように表現を微妙に変えます。相手の敏感な感性に響く言葉で話をふっていますので、相手も思わず話しだすこと間違いなしです。

私も先日、ファッションに並々ならぬ気を遣われているお客様のタイプを分析。まずはヴィジュアル重視型と判断して、

「ストライプのスーツに、ストライプのシャツをあわせるなんて、おしゃれですね。

お洋服お好きなんですか？」

とふると、

「うん。ありがとう。すごく好きなんだ。でもね、柄とか色あわせとかを楽しんでいるんじゃないんだ。洋服の生地の質感にこだわっているんだよ」

どうやら、フィーリング重視型で答えが返ってきた感じです。そこで、すぐに切り替えです。フィーリング重視型にあうように、

「今日のスーツの生地の質感は、どんなところにこだわりがあるんですか？」

と要約を変形させました。するとお客様はノリノリで、そのスーツの生地の話から、縫製の仕方、スーツのブランドの会社についてまで、どんどん話が広がっていきました。それから時計へのうんちくへと発展し、そのお話は1時間ほど止まらなくなりました。

人は自分と似た人が好き。似ている部分が感性となれば、好きの度合いはかなり高いですね。相手の感性は、言葉から見極めていきましょう。

相手の感性は「瞳の動き」からもわかっちゃう！

ここからは、動作の観察をして相手の感性を知るテクニックです。目は口ほどにモノを言う。実際に、目を見て、相手の考えていることを知ることができるとしたら、あなたは知りたくないですか？

では、どうやって知ることができるのか見ていきましょう。瞳の動きを示した次ページの図を見ながら、説明を読んでいってくださいね。それから、一般的にその傾向が強いと言われているだけで、すべてにおいて必ず真実であるとは、考えないでくださいね。では、1つずつ説明していきます。

まず、ある特定の状況に気持ちや考えがいっていないときは、瞳は真ん中にあります。そして、**自分から相手を見たとき**、右上に瞳が動けば、その相手は過去のヴィジュアル的なイメージを思いだしています。反対に左上に動いたときは、未来のヴィジュアル的なイメージを想像しています。

瞳の動きによるアイ・アクセシング・キュー
（左右上下は、あなたから相手を見たときのもの）

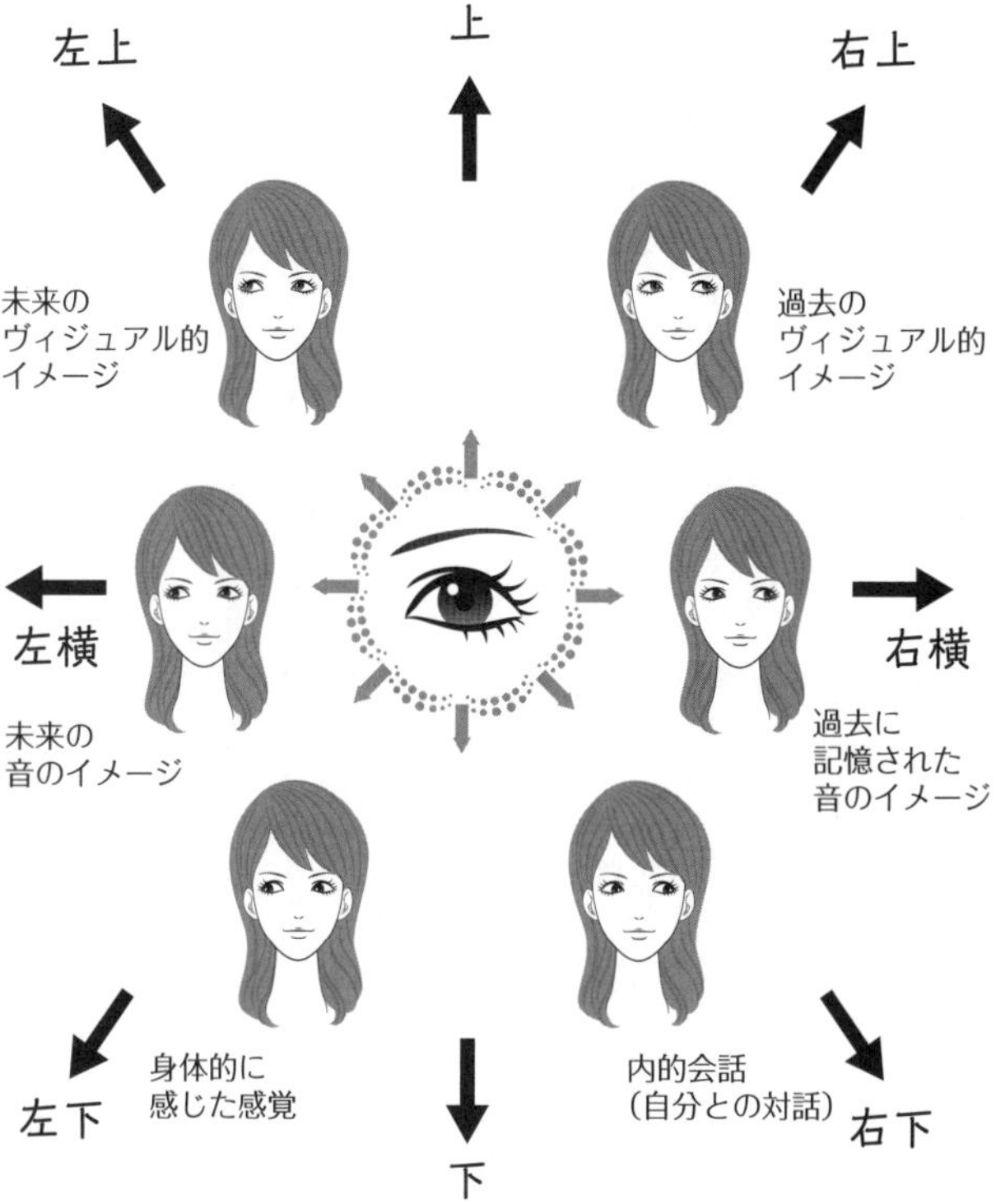

たとえば、「昨日はどこで呑んでいたの？」と聞いたとき、相手の瞳が右上を見て答えた場合、相手は本当に昨日どこで誰とどういうふうに呑んでいたかを考えています。

もしここで、瞳が左上に動いたとしたら、未来のイメージの位置ですから「どこで誰と呑んでいたことにしようか」と考えていることになります。

このように、相手の瞳の動きひとつをとっても、相手がウソをついているかどうかがわかります。実際、『交渉人』という映画では、この瞳の動きを使って尋問しているシーンがあります。ここまで読まれたあなたなら、もうおわかりですね。そう、彼の浮気チェックにこっそり使ってみてください。

図の説明に戻ると、瞳が右横に動いた場合は、過去に記憶された音のイメージを考えています。左横に動いたら、未来の音のイメージです。具体的には、そのとき（過去か未来）の会話だったりすることが多いです。

瞳が右下へ動いたときは、自分の心のなかの声と対話をしています。商談などで、相手の瞳が右下へ動いたら、それはこの商談をどうしようか、といろいろと考えているサインになります。

瞳が左下へ動いたときは、何か身体的に感じた感覚に注意が向かっています。たとえば、相手が何かを触りながら左下へふっと瞳が動いたとします。そこですかさず「それ、触った感触、いいですよね」なんて声をかけたら、相手は心を読まれた！と、びっくりするはず。

これは、アイ・アクセシング・キューと呼ばれています。テクニックの名前は覚える必要はありませんが、相手のアイ・アクセシング・キューからも、前述の優先感性を判断することができるんですよ。実際にはこんなふうに使っています。

何気ない会話の導入部分。ＹＥＳセットのあたりで、

「今日は、外、寒かったでしょう？　いまのお店の温度はどうですか？」

とたずねます。アイ・アクセシング・キューを観察するのは、自分が「寒い」という言葉を使った瞬間か、「温度はどう？」と言った瞬間です。

この質問で瞳が左下に動いたら、体で感じた感覚にアクセスしているので、通常のアイ・アクセシング・キューだと予想を立てます。それから、視覚情報・聴覚情報にアクセスする話題を何気なくふったり、相手の話を聴きながら、瞳の動きを観察して情報を集めてください。

ここで、例外的なアイ・アクセシング・キューを紹介しておきます。

＊必ず右下に瞳が動く

いままでしていた会話を自分のなかで反復してから答えるタイプ。瞳の動きと同時にくちびるが動いたら間違いないです。このタイプには、話しはじめるまでの時間を待ってあげるとうまく会話できます。

＊常に瞳が下に動く

初対面の場合、緊張して目線を常に下にしている人もいます。そんなときは、瞳の動きが出るまで、タイプ分けの判断を保留してください。

＊まばたきが多い

頭のなかでいろんなことを考えているか、緊張している状態です。

＊どのパターンにもあてはまらない

同時に2つの感覚情報にアクセスするタイプです。瞳の動きから判断するのは、難しいですが、その代わり、言葉には独特の感性の表現が目立つはずです。

人はそれぞれ、優先的に使う情報アクセスパターンを持っています。言葉とともに、瞳からも相手の情報を入れて、より相手のパターンにあった会話を提供していきましょう。

たとえば、こんなふうに使ってみるといいですよ。

会話をしているとやたら瞳が右上や左上に忙しく動く人がいたとします。そうしたら、その人は視覚情報優位な人ですね。視覚情報優位な人には、

「スーツのストライプの色が、普通とは違ってすごくきれいに発色していますね」

なんて話をふってみます。

さあ、ここで、その他大勢と差をつけるテクニックです。

視覚重視の人は、たいていファッションにこだわりを持っています。人から、なんらかの批評を受けたいと心の底では待っています。そこで、無難に目立つポイントをピックアップして話をふっても、その他大勢と同じになってしまいます。

ネクタイでも縫製に注目してみたり、スーツでも細部を取り上げるようにしましょう。必ず、相手はあなたのことが気になりだします。

次は、銀座ではよく見かける会話です。ちょっとハンサムなお客様がいらっしゃると、みんなこわれたCDのように、「かっこいいですね」と容姿をほめます。

誰が見てもハンサムなお客様は、たいてい「ああ、もうその話はよして。君たち、プロでしょ。ほかに何か言うことあるんじゃない?」と気分を害されます。お客様にしてみれば、いつでもどこでも言われること。うんざりなのも無理ないですね。

そこは、こんなふうにできると喜ばれます。Kさんは福山雅治似のお客様でした。新人さんがとりあえず「かっこいい。福山に似てるって言われませんか?」と声をかけている隙に、「Kさんって、普通の女性じゃ負けちゃうくらい、お肌がきれいですね。触りたくなっちゃう」と、ふってみたところ、その後の30分、Kさんの肌へのこだわり話に花が咲きました。

表面よりも感性という内面深いところで、刺激できると強いですね。

相手の感性のツボを見つけたら、ちょっとひねりを加えて刺激してみましょう。

第3章

相手のタイプを見極めて、効果的に「ほめあいづち」

男性はとっても社会的な生き物なんです

出会って10分が経過しました。「自分と似ているな」と、第一印象で思わせ好印象を獲得。興味津々の態度とあなたの話を理解していますというメッセージを伝えながら、相手の話しやすいリズムをつくってきましたね。

さて、ここからは、

「うわ〜、なんだかよくわからないけど、この人すごく話しやすいな。そのうえ、初対面なのになんでも話せちゃう」

という存在になるためのテクニックです。

ところで、銀座のクラブに、男性は何を求めてやってくるのでしょうか？

私がいまいち売れなくて悩んでいたとき、勤めていたお店のRママが、こんなアドバイスをくれました。

「水希は人としてどうなの？　女としてどうなの？　ホステスとしてどうなの？

この順番で考えてごらん」

ママのアドバイスどおり、人としてどうお客様に接すればいいのかを考えたとき、私が最初に徹底してやりはじめたことは、お客様を「ほめる」ことでした。

第3章でマスターするのは**「ほめあいづち」**。ほめあいづちは、第2章までの2人の信頼関係が土台にあってこそ、力を発揮します。「よく話を聴いてくれるな。なんか自分と似ているな。いい娘だな」と思っている相手を「ほめる」からこそ、お世辞やおべっかと感じさせずに、素直に心に届く「ほめ」のメッセージになります。

突然ですが、私たちは、どんなとき相手に話を聴いてもらいたいでしょうか？

悩んでいるとき、苦しいとき、その気持ちを1人で抱えきれなくて、わかってもらいたくて、誰かに話をします。嬉しいとき、その嬉しい気分をもっとふくらませたくて、話をしますよね。

私たちは、相手に話をすることで、共感してもらいたい**「共感欲求」**と、認めてもらいたい**「承認欲求」**を満たしています。

皆さんお気づきのとおり、はじめの10分で、相手の共感欲求を満たしてきました。

ここからは、承認欲求も満たしていきます。そこで**「ほめあいづち」**を使って、気分を盛り上げながら認めていくのです。

さて、話を戻して、男性は何がモチベーションとなって、銀座へ足を運ぶのでしょうか。モチベーションの元は欲求です。私は大きく分けて2種類の欲求を満たすためだと考えています。

1　生理的欲求　……　**性の欲求**
　　　　　　　　　……　**母性の欲求**
2　社会的欲求　……　**承認の欲求**
　　　　　　　　　……　**支配の欲求**
　　　　　　　　　……　**優越の欲求**

1は説明しなくても、皆さんのイメージどおりですね。ホステスが、ホステスとして、女として満たしていく部分。私も経験が浅いころは、手っ取り早くお客様がつかまえられるので、「バーチャル恋愛」に持ち込んでいました。

でも、色気でついたお客様は、長くても半年が限界。手に入らないと判断すれば、すぐいなくなってしまうお客様です。いつも、新規の色気客を獲得していかなくてはいけない精神消耗戦。

色気でナンバーワンにはなれないですし、銀座で成功しているママが、必ずしも美人でないと言われるゆえんです。

Rママのアドバイスにもあるように、人間としての大きなくくりで見ると、生理的欲求は重要なポイントではないのです。

男性も男である前に人間。特に男性は社会的な生き物と言われます。人を行動に駆り立てる欲求のなかでも、承認・支配・優越の欲求を満たしたい思いが、女性以上に強いのです。

そこで、共感欲求と承認欲求を、簡単に満たすテクニックが**「ほめあいづち」**なのです。

カウンセラーになってから知ったのですが、「ほめる」技術だけで、夫と死別した妻の悲しみを癒やすことができるほど、「ほめ」は人に力を与える強力な技術なのです。

ただし、なんとなくの「ほめ」では、お世辞やおべっか、ゴマすりになって逆効果になることもあります。

実はちょっと難易度が高いのですが、銀座で長年接客して体得した技術と心理カウンセラーとしての知識と経験をミックスして、誰にでも効果的に「ほめあいづち」が実践できるようにしてみました。

次項から、効果的で実践的な「ほめあいづち」の方法を身につけていきましょうね。

最近、婚活という言葉が流行っていますが、承認・支配・優越の3大欲求を満たすことがうまい人は理想の相手と結婚するのも夢ではないし、結婚生活も幸せなものになると思います。

反対に、承認・支配・優越の3大欲求を満たせないばかりか、この部分を傷つける人は、結婚はもとより、恋愛、子育てもうまくいかないでしょう。

簡単なことですので、ぜひこの機会に身につけてくださいね。

「ほめあいづち」するときは、4つのタイプ別にね

誰でも簡単で効果的な「ほめあいづち」ができるように、まず相手を4つのタイプに分けます。

1　**称賛タイプ**
2　**ねぎらいタイプ**
3　**自由人タイプ**
4　**母の愛タイプ**

これから、タイプ別に「ほめあいづち」実践編をはじめますが、その前に、どのタイプにも共通するルールを覚えておきましょう。

1つは「ほめあいづち」をはさむタイミングです。それは、第2章でマスターし

た「大うなずき」か「小要約」をするときのタイミングだと覚えてください。

もう1つ大事なことは、ほめあいづちが効いているかどうかのチェックです。ほめたあと、相手の反応をチェックするのを忘れないようにしてくださいね。

ここで使うのが、第1章で身につけた、「相手の本音を見抜くYES・NOのサイン」。ほめたあと、YESの反応が出るか、NOの反応が出るか、チェックです。YESのサインが出れば、このまま自分が判断したタイプとして、ほめあいづちを続けます。NOのサインが出たら、無難に「称賛タイプ」から続けて「ねぎらいタイプ」へのほめあいづちに変更していけば失敗をさけることができます。

それでは、タイプ別のほめあいづちを身につけていきましょう。

タイプ別ほめあいづちの極意①「称賛タイプ」

称賛タイプの特徴は、一言でいうと「厳しいお父さん」。
称賛タイプの特徴的な発言例です。

「昔は、苦労は買ってでもしろと言ったもんだが」
「だいたい、いまの若者は、常識がなさすぎる」
「女は結婚したら家庭に入るべきだ」
「男なんてそんなものよ」
「新人が早く来て、掃除するべきなのよ」

ちょっと偏見が強かったり、権威的なところがあったり、非難・排他的な言葉を多用したりする人です。逆にいえば、規律正しく、道徳的で倫理観の強いタイプ。

口調も、恩着せがましい感じがしたり、押しつけ調だったり、説教っぽく聞こえると思います。

称賛タイプの人には、少し反発心を覚えるでしょう。でもあえて、称賛タイプが誇りに思っている、厳しさをほめるのです。

「いや〜、すごい。それはNさんだからこそ、できたことですよね」

「さすがですね。それも、厳しく、ストイックに仕事を追求されているからこそですね」

「お母様ご自身が、大変几帳面な方なんですね。お子様のしつけもきちんと取り組まれてさすがです。そのお母様が自慢のお子様だけあって、本当にお行儀がよいですね」

ただの、ほめではなく、ほめたたえる感じです。とはいっても、もっともオーソドックスなほめ方ですから、安心して使えます。判断に迷ったら「称賛タイプ」の「ほめあいづち」をしていれば、だいじょうぶです。ほめるタイミングは、大うなずきを「へぇ〜、すごーーい」「そーーなんだぁ」に変えるか、小要約に「ほめ言葉」をプラスします。

第2章でゴルフの話を続けようとして、水希が使ったフレーズ、覚えていますか？

「優勝されたんですね！　おめでとうございます。シングルにもなりそうなんですか！　すごい！」

最後に「すごい」の一言をつけると、共感欲求も承認欲求も同時に満たすことが可能になります。

ここで注意すべき点が1つ。称賛タイプには、ほめの部分だけだと、空々しく聞こえたり、ほめすぎて怒らせてしまったりすることがあります。成功させるためには、ほめる部分の根拠をセットにしてほめましょう。

根拠は、第2章で説明した話の3要素のなかから見つけます。経験・行動・感情の、どの部分にほめるポイントがあるのか。そのポイントを根拠とします。さらに、男性の場合は、根拠の部分に、社会的に見てすごいという内容を盛り込めば完璧です。

たとえば、社長のすごさをほめる場合、次のどちらが効果的に響くと思いますか？

例①

「A社の社長をやられているなんて、すごいですね。A社といったら世界的にも有名じゃないですか？　そんなすごい方とお会いできるなんて嬉しいな。私だったらそんな世界規模のお仕事の責任なんてとれないですもん」

例②

「A社の社長というだけでも圧倒されてしまうのに、社長になったいまでも朝6時からご自身の勉強の時間をとって、見えないところで厳しくご自身を律している姿がすてきです」

例①でほめた場合、第一に、本人をほめるのではなくて、会社をほめてしまっています。そしてなぜか、自分の能力が社長と同じレベルにあるかのように、無神経にすごいとほめてしまっています。これでは空々しいうえに、社長の怒りまで買いそうですね。

例②は、会社の規模もほめ、本人の勉強の習慣から自分に厳しい点を具体的にほめています。これなら、相手を理解したうえでほめるので、おべっかやお世辞ととられる確率も下がります。

あなたを理解しています。興味津々です。そして、あなたって素晴らしい！　ときたら、クラッとついつい心の緊張もゆるみますよね。

厳しさを感じたら、**「すごい＋根拠」**で相手をほめてくださいね。

タイプ別ほめあいづちの極意②「ねぎらいタイプ」

2番目のタイプは、「ねぎらい」タイプです。ねぎらいタイプの特徴は、「優しいお母さん」のイメージ。

ねぎらいタイプの特徴的な発言例です。


「○×君は、本当によくやってくれていて、いつも助かるよ」

「お疲れではないですか？　少し休まれたほうがいいですよ」

「寒くないか？　風邪をひかないように、あったかくしとけよ」

「まぁ心配しないで、私に任せてごらん」

「何かあれば、力になるよ」


優しくて、思いやりがあって、親切で、いたわりを感じる言葉や態度をとる人です。誰しもが普通に好きなタイプですね。

ねぎらいタイプは、いつも相手に対して親身になって愛情を注ごうという気持ちが強い人。ですから、こちらもその「心遣い」に響くように、「ねぎらい」でほめあいづちを表現していきます。

一番簡単なのは、「それは、大変でしたね」と、過去形でねぎらいながらほめます。たとえば、

「いやー、この不況で、うちもけっこうやられちゃってね。まぁ、うちなんて軽いほうなんだけど。本当は銀座に出るなんて余裕ないんだよ。とはいってもシケタ顔もしてられないよね」

「Kさんのところもですか。大変だったんですね。全然、顔に出さないからわからなかった」

「うん。今回は大変だったよ。まぁ、こうして銀座に顔を出せるくらいにはなったけどね」

普通なら、「銀座に出る余裕がない」を受けて、「いま大変なんですね」とねぎらうと思います。あえて、「大変だった」と過去形で返すことによって、大変なのは少し前のことで、いまはよくなってよかったですよねの意味を込めることができます。

ねぎらいながら、気分を明るく転換できるのです。

ただ過去形にするだけで、他人と一歩差のつくねぎらいになります。そして「顔に出さないからわからなかった」と経営者として弱みを周囲に見せない配慮をほめるのです。

さて、Kさん、どこが称賛タイプでなく、ねぎらいタイプなのでしょう。Kさんの言葉に注目です。

「うちなんて軽いほうなんだけど」「シケタ顔もしてられないよね」など、周囲を配慮する言葉があります。配慮をほめると効果的なのが「ねぎらいタイプ」です。ですから、Kさんには、「ねぎらいほめ」が効果的なのです。

ねぎらいタイプは、話の内容からだけでなく、行為へのほめあいづちも効果的です。

たとえば、

●オープンカフェなどで、ひざかけをどこからともなく、もらってきてくれたとき
●階段などで、すっと手を貸してくれたとき
●床に段差があるときに、手をとるか、腰に手をあてフォローをしてくれたとき

こんなときは、すかさず「ありがとう」にねぎらいほめをプラスです。

「ありがとう。私が少し寒いなと思っていたことに気づいてくださって、とっても嬉しいです。Fさんの優しい人柄に触れられて、温かくなりました」

ちょっと気恥ずかしいですが、言いなれてみましょう。せっかく「優しい」とほめる根拠があるのだから、活用しないのはもったいないですよね。

さて、この「ねぎらいほめ」、称賛タイプの一部の人にも有効です。一部とは、「厳しいお父さん」の発言が多いのだけれど、「称賛ほめ」をすると、NOの反応が出て、その会話が終了する人です。

第2章で登場した水希がうなずき人形になる完全に称賛タイプのNさん。社員や秘書たちがいかに使えないか、話をしていました。

「そうはいっても、会社の業績、素晴らしいじゃないですか。この結果は、Nさんにしか出せませんよ」

と称賛ほめで返しました。Nさんは、NOの反応としばらくの沈黙で会話が終了。そこで、また次の問題社員の話を受けて、

「いつもしっかり業績を伸ばしつづけてすごいな。Nさんは、やっぱり何かが違うなって思っていました。陰では、やる気のない社員や意志の通じない社員を相手に気苦労が耐えないんですね。大変なんですね。いままで、ちっとも気づかなかったです。今日、お話をよーく聴かせていただいて、気づきました」

と返してみました。これがぴたっとはまり、

「そうなんだよ。みんなここを誤解している。それでね……」

と、自分の弱い部分を話しだしたのです。

「なんでも話したくなっちゃう」が、Nさんのなかに起きたのです。

ほめあいづちがタイプにマッチすれば、必ず会話は展開していきます。オールマイティーの「称賛」で会話が終了してしまったら、次のポイントでは、「ねぎらい」で再チャレンジしてみましょう。

ほめることに関しては、タイプの見極めに失敗しても、相手はほめられているので、不快な思いをすることはありません。失敗を恐れず、堂々とチャレンジできる利点があります。

もし、次の2点の兆候があったら、ほめ方を変えればいいだけです。

1　NOのサインがある

2　会話が展開しづらい

「優しいお母さん」には、心遣いを「ねぎらいほめ」していってくださいね。

タイプ別ほめあいづちの極意③「自由人タイプ」

3番目のタイプは、「自由人」。

このタイプの特徴は「やんちゃな子ども」です。

会話の特徴は、言葉というよりもテンションの高さ。やんちゃだったり、無邪気だったり、感情をストレートに表現していても、許せてしまう人。本当に天真爛漫です。直感力や創造力があるので、芸術的な感じがします。

自由な発想・言動を大切にしていますので、その「自由さ」をほめると効果的です。

ただ、自由さといっても漠然としていますね。

感情や自分の欲求を素直に表現することが、自由人の自由さの現れ。感情面や欲求面にからむポイントでほめます。話を聞いていると、話の3要素のうち、感情表現がとても豊かなので、わかりやすいですよ。

自由人は自由を愛するので、根拠は必ずしも必要とはしません。

「すごい」「わぁー、すてき」「かっこいい」「さすが」「おもしろい」「楽しい」なんて感嘆詞でOKです。

感嘆詞に、第1章で取得した「声あわせ」を意識して、感情をあわせるとより効果的です。

たとえば、お客様のIさん。会社を10社経営される、かなりやり手の社長さんです。話の内容も、こんな大きな取引をした、こんなすごい人と知り合いだ、がほとんど。

Iさんのような話題だと、普通、自慢話と敬遠されますよね。でも、なぜか皆に好かれているんです。Iさんの話し方に秘密がありました。

「(……自慢話……)、オレってすごいでしょ!(笑)」

必ず、このパターンでした。子どもが「お母さん、ぼく歯磨き、1人でできたよ。すごい? すごい?」って、お母さんが「すごいね。えらいね」と声をかけるまで言いつづけるのに似ていませんか?

はじめ、これに気づかなくて称賛していたら、なぜか話が続きません。そこで、

「すごい！（笑）すごい！（笑）」と、単純に、オウム返しに「ほめ」を変えてみました。

するといさん、気分が乗ったのか、自慢話に花が咲きました。話の内容は思いだせませんが、代わりに無邪気にはしゃぐIさんの姿が思いだされます。

自由人タイプは、細かいことを気にせず、単純に自分のテンションを自由人にあわせて、「わぁ！　すごい！」とほめるのがポイントです。

自由人は、感情のほかに欲求面でも開放的。相手が男性ならば、その男性性・男の色香を、女性ならば、女性性・女性の色香の部分をほめるのも効果的。

ほかのタイプのほめるポイントとは程遠いですが、自由人タイプは素直に喜んでくれます。

たとえば、お客様のFさん。70歳を過ぎていらっしゃいますが、ゴルフに銀座に六本木にと、毎日お忙しい。

「オレは、73歳で毎日呑んでいるけど、二日酔いになったことはないんだ。なんでかわかる？　それはね。二日酔いも忘れてしまうくらいまで、呑むからだよ。わっはっは～」

と、毎回おっしゃる天真爛漫さが人気です。

Fさんは、もう一点、席についた女性を必ず全員、口説くのです。これは男としての部分も大切にしている証拠。Fさんに限らず、天真爛漫な自由人タイプは、ストレートに、「今日のドレスはとっても似合っているよ。すてきだ」などと表現します。ちょうどラテン系男性のように。

Fさんには、「Fさんは、73歳とおっしゃるけど、いまどきの20代の男性より男らしく感じます」と一言。

「そうだろ。そうだろ。オレの若さの秘訣はね……」と豪快な話が続きました。

Fさんの場合、年齢が73歳なので、ていねいにほめています。通常は「かっこいい」「頼もしい」「モテるでしょ」などの簡単な言葉でOKです。言葉プラス軽いボディタッチがあると、さらに効果的になります。

自由人タイプは、自由です。気軽に楽しみながらほめていってくださいね。

タイプ別ほめあいづちの極意④「母の愛タイプ」

4番目のタイプは、「母の愛」タイプ。母の愛タイプの特徴は、いじけ虫です。母の愛タイプの特徴的な発言例です。

「いつも社員（部長）が困らせる」
「うーん、よくわからないな」
「すみません」
「ちっともわかってくれない」
「なんか、悲しい（さびしい、悔しい）の」
「もういいです」

自由人タイプとは正反対で、自分の感情を抑え気味だったり、要求をはっきりと言ったりしない人です。嫌なことを嫌と言えないタイプ。はっきりしない人だなとの印象を持つことが多いでしょう。

ねぎらいタイプとは違って、「人に嫌われない」ために遠慮という形で気を遣っています。こちらが気を遣うと、逆に負担を感じさせる結果になります。また、いつも自分を抑制しているので、ちょっと愚痴っぽい話が多くなります。

そこで、母の無償の愛を与えるようにほめると効果的。ねぎらいの変形バージョンですね。ひたすら頭を「よしよし」となでるイメージでほめあいづちをおこないます。

「自信がなかったり、くよくよしていたり、でもそんなあなたでいいんだよ」と無償の愛を贈ります。実践的には、

「ふーーん、そっかぁ……（無理もないよね）」

「そうなんだぁ……（大変だったね）」

「……」の部分に、「無理もないよね」とか「大変だったね」のセリフを、口には

出さずに含ませる感じです。

称賛・ねぎらい・自由人のタイプと比べて、積極的に「ほめる」フレーズは使いません。ここで、無理に称賛やねぎらいを続けると、ほめたのに相手が怒ってしまい、失敗してしまうタイプと覚えておくといいですね。

実はお客様のなかでも、このタイプが一番苦労します。お互いに気を遣いあって、疲れてしまう、なんてこともしばしばです。

母の愛タイプは、ねぎらいタイプとは違って、積極的な言葉や行動で相手を気遣うわけではないので、はじめて会って15分の段階では判断がつきにくいタイプですね。

はじめのうちは、なんか気を遣われてるな、遠慮がちだなと思ったら、積極的なほめあいづちは使わないと覚えてくださいね。代わりに、「うん、うん」と話を促す通常のあいづちを使ってください。

ちなみに、私はこんなふうに、ほめあいづちを使っています。

Iさんは、名実ともに非のうちどころのないほどの成功者。話しぶりは、一見すると、権威的で批判や偏見の強い称賛タイプです。排他的なので、席につくメンバーはいつも固定されています。

ある日、固定メンバーがいなかったので、私が臨時でお席につくことになりました。まぁ、今日は下手なことは言わないようにしよう、最初は観察していよう、と席について、Iさんの話ぶりを聴いていました。

すると、Iさんは、批判をしたあとに必ず、

「結局、誰もわかってくれないんだよなぁ」

と、いじけ虫が出るのです。そこで、ただ座ってうなずいているのもつまらないので、

「そうなんですか……（それはそれは、苦しいですね）」

に徹してみること30分。いつもならIさん、新顔には、聞くに堪えない批判話でよせつけないのですが、

「君は、よくオレのこんな話を聴いていられるな。嫌な顔するどころか、真剣に聴いている。今度、同伴してやるよ。ノルマあるんだろ」

とウソみたいな展開になりました。

母の愛タイプは、最初は対応できなくて当たり前。第5章で、母の愛タイプに有

効なテクニックをご紹介します。安心してください。
「あっ！　いじけ虫」と感じたら、無理に「ほめない」と思いだしてくださいね。

第4章

15分たったら、そろそろ会話で盛り上がりましょう

NG3人娘になっていませんか？

出会って15分、私たちは何をつくりあげてきたでしょうか？

相手を観察して相手を知る、そして、相手にあなたを理解しています、興味津々です、とメッセージを送りつづけてきましたね。そうして、相手との信頼関係をつくりあげてきました。

この信頼関係は、無意識の部分に効いてくるように築いてありますので、とても強固な土台となっています。相手との間に信頼という土台ができあがったら、次に会話の内容でも、深くつながっていけるようにしていきましょう。

水商売は、**「心配り」**が仕事です。言葉面では、会話で楽しんでいただき、言葉以外の部分では、心配りで心の満足をしていただきます。

ここでは、まず売れない娘の共通点から、ついつい犯してしまいがちな失敗を整理しておきましょう。

＊自分のことばかり話す

やっぱり、売れない娘の第一条件は、「自分のことばかり話す」です。

昔、まりちゃんという典型的な娘がいました。まりちゃんが席につくと、客席が一瞬止まります。あのお決まりのフレーズから、会話が成り立たなくなるからです。「あのね、まりね、こないだね～」と一通り自分の近況を報告。お客様がゴルフの話題を話しはじめたと思ったら、「まりもね、ゴルフするんだけど～」と、またもや自分の話がはじまります。

まりちゃんがいなくなったあとの席は、どのお客様も「なんだあれ？　もうつけないでね」とおっしゃいます。あなたのまわりにも、必ず1人くらいはいますよね。自分の話しかしない人。

＊ほめてもらいたがる

次に売れない娘の条件として、「ほめてもらいたがり」な娘がいます。このタイプは、言葉と態度の2つに分かれます。

言葉で直接的に表現する娘は、こんなことを話します。

「引っ越したんだけど、今度の家は80㎡あるの」「電車に乗ったことないの」「父が○×銀行に勤めているから」などと、「君ってすごいんだね」と返さざるを得ない話題をふります。

態度で示す娘は、上目遣いでじっと見つめていたり、くねくねと姿勢を変えたり、しぐさで常に「女」をアピールします。お客様は、それだけアピールされてはと、「きれいだね」「かわいいね」と見かけをほめます。

まりちゃんと同じで、その娘がいなくなると、「おだてなきゃいけない娘って疲れる」と、ポツリともらすお客様がほとんどです。

「自分のことばかり話す」や「ほめてもらいたがり」が嫌われる理由、わかりますよね。私たちが、15分間に、努めてつくりあげてきた世界と正反対。自分をアピールする、売り込むことしかしない、竜巻のような女性ですね。

私たちが目指すのは、相手がすーっと吸い寄せられ、気分よくなれる「春のひだまり」のような女性です。

自分のことをアピールするのは、適切なタイミングがきたときでいいのです。焦らないで、まずは「春のひだまり」を目指しましょう。

＊気が利かない

さて、次に売れない娘。これは間違いなく「気が利かない」娘です。

たとえば、お客様がじんわりと額に汗をかいているのに気づかない。酔いがまわってきているのに水割りの濃さを調節しない。タバコを吸おうとしているのにおつまみを食べさせようとする。

私たちは、15分かけて相手を観察するテクニックを身につけてきました。相手をよく見ていれば、すべて気づくことですよね。額に汗していれば、上着を脱ぐように促したり、冷たいおしぼりをお渡ししたり、店内の温度を調節してもらったりと、3つの気配り行動ができます。

気配りはセンスだと思われがちですが、センスはまったく関係ないと断言できます。なぜなら、いまでは気配りでお客様の心をつかめる私ですが、以前は人一倍、気を遣えない人だったからです。ある店では、あまりの気遣いのなさに、ママから灰皿が飛んできたこともあったほどです。

気配りは、どれだけ相手の状態を観察し、その状態に見合ったものを提供するかというシンプルなもの。気づきと行動、その繰り返しです。

どんな気配り行動ができるかも、状況によって基本公式があります。これに関しては、第5章でくわしく説明しますね。

基本の気配り行動を軽く考えず、きっちりやっていけば、気配りのセンスができあがります。柔軟な対応は、基礎ができれば、おのずとできるようになります。

会話においても気配りは重要です。

水商売の世界では、夜にお酒ということも手伝って、いわゆるシモネタ会話も頻繁です。

シモネタはかわそうとすればするほど、相手はおもしろがってしつこくなります。相手のうえをいくシモネタを、下品にならない程度に、あなたの側から（女性から）言ってしまうと、たいていの男性はすっと血の気が引くかのように、自分のからかい行動に冷めていきます。

かわすより、冷静になっていただくことで、話題をチェンジするのが上手なやり方です。

でも、なかには、「私はシモネタNGです」と宣言したり、会話の途中であからさまにだんまりを決め込む娘がいます。

ほかにも、少しでも口説かれると、まるで扉をピシャっと閉める音が聞こえるかのような勢いで拒絶する娘や、からかわれるとやたらムキになる娘もいます。

もちろん、度を越えたシモネタや口説き、からかいは、拒否する必要もあります。

しかし、ここで立ち止まって考えてほしいのです。なぜ、嫌われるようなことを、あえてこの人はしているのだろうか？　と。

たとえば、シモネタの場合。シモネタは、誰も傷つけることがなく、適度に場がなごむので、話題として選ばれることが多いのです。

だったら、場をなごませようとした相手の気遣いに少しは乗るのが、こちらの気配りですよね。

口説きだって、最近ではあいさつ代わりという方も多いんです。「こんにちは」と言われているのに「こんにちは」と返さないのは変ですよね。

お断りするのは、正式に口説かれてからでだいじょうぶです。

口説かれたら、気分をよくしてあげようとする相手の気遣いの部分に注目して、

「ありがとう」とサラリと返しておけば、それ以上進むことはありません。

これからいよいよ会話でのテクニックに入るというときに、NG例を3つ紹介したことには理由があります。

話を盛り上げようと意識しはじめると、いままで意識してきた相手の観察をたいてい忘れてしまいます。そして、NG3タイプへあっという間に変身してしまうからなんです。

初対面では、自分のことはあまり話さなくていいのです。すべてを知った女性に、もう一度会いたいと男性は思うでしょうか?

大切なのは、相手の情報を使って、活かして、会話をしていくことなのです。

会話は「広げる」と「掘り下げる」の繰り返しです

さてここからは、「質問の力」を使って、会話をじわじわと盛り上げていくテクニックです。会話を盛り上げるには、次の2つの方向性を意識して使いわけていくと、うまくいきます。

1　横に広げる

2　深く掘り下げる

これまでは、質問をしないで、会話を展開するようにしてきました。相手との信頼関係を結ぶときに必要なのは、「あなたに興味津々」「あなたの話を理解しています」とメッセージを送って安心させることでした。安心感から心の緊張がとれると、会話を進めたいと思う心が相手に芽生えます。芽生えたところで、質問の力を使っていきます。

質問は、質問の言葉そのものの裏で、5つのメッセージを相手に伝えています。

1 情報収集
2 個人の関心を満足させている（興味本位）
3 非難・攻撃・無関心・尋問
4 気づきを促す
5 純粋な関心

第2章で、銀座では直接「出身地は？」「職業は？」と聞くようでは、一流ではないとお伝えしました。

これらの質問は、単なる情報収集であり、質問者個人の興味を満たすものであり、場合によっては、身上調査の尋問として、相手に裏のメッセージを伝えてしまいます。

オウム返しが難しいのも、裏のメッセージが伝わるからです。

「接待でくたびれた」という話題に、単に「くたびれたんだ」と返すと、「それくらいでくたびれるなんて情けない」とか、「くたびれたのはあなたですね。私には関係ないわ」を伝えてしまいかねません。

こうして書くと、質問は難しいなとお感じになるかもしれませんね。でも、だいじょうぶです。4番目の気づきを促す質問か、5番目の純粋な関心を示す質問をマスターしていけばいいのですから。

さらに、私たちは、15分かけて無意識に伝わる信頼のメッセージを送りつづけて、信頼関係の土台をつくっています。

この土台のうえに、いまは会話を広げていったほうが盛り上がるのか、掘り下げていったほうが盛り上がるのか、次の質問を使って方向性を探ります。

*「それから？　そのあと、どうなったの？」

相手が、何か経験したこと、行動したことについて話している場合は、「それから？」と次の展開を促して、話が広がっていくようにします。あいづちだけでは、話が展開しない場合に使っていきます。

たとえば、ファッション好きのお客様が、

「ショーウインドウを見ていて、気になるディスプレイがあったら、お店の許可をもらって、撮影するんだよ」

と興味深い話をしはじめました。

「へえ～、撮影するんですか。その写真はどうするんですか？」

と、たずねて、次の行動に興味を示していることを伝えます。

「その洋服が似合いそうな人に送るんだ」

「えっ？　人に送るの？（それで、それで）」

「うん。彼女とか女友だちに送るんだよ。新しい自分の魅力に気づいてもらいたいんだ」

「（それで）反応は？」


このように、相手が写真を撮ってからの一連の行動を、まるでビデオでも見ているかのように展開させていきます。

展開して広げていくなかで、相手が重要だと思っている人物や出来事が見つかったら、そこを深く掘り下げていきます。

重要な人物や出来事が見つからない場合は、次のような視点を変える質問で、話を広げなおします。

*「ところで」

重要な人物や出来事が見つからない場合に、「ところで」を使って、話を広げなおします。

たとえば、

「へえ～、撮影するんですか。その写真はどうするんですか？」

「写真を撮って終わりかな」

となった場合には、

「（ところで）写真を撮るのが好きだったり？」

「さすが！　ファッションが大好きなだけのことはある！　ところで、買い物にはどこに行かれるんですか？」

「（ところで）ファッションセンスを、ほかにはどうやって磨いているんですか？」

など、「ところで」につなげて聞ける質問を使って、ファッションの周辺で話を広げて、掘り下げるポイントを探していきます。

広げていく質問は、「それからどうなったの？　続きが聞きたい！」という純粋な関心を示すメッセージを発信できるので、次の展開を楽しむ気持ちで、どんどん使ってくださいね。

掘り下げるポイントが見つかったら、ここからはちょっと注意が必要です。掘り下げる質問は、どうしても非難や尋問、情報収集と相手に感じさせやすくなります。掘り下げる質問については、次項からくわしく説明していきますね。

会話を盛り上げるとは、話を広げ、掘り下げること。掘り下げて、なんとなく話が進みづらくなったら、広げる。そしてまた掘り下げる。この繰り返しだとイメージしておくと、自分も楽しみながら会話を盛り上げることができますよ。

「掘り下げる」ときは、ここをあわせて！

会話を広げながら、相手にとっての重要な人や出来事を見つけ、会話を掘り下げるポイントを探してきました。次の2つの会話例を見てみましょう。

会話例①

「先月、○×新聞のゴルフコンペに招待されたんだけどね。昔、阪神にいた真弓って知ってる？　彼と同じ組でまわったんだ。彼、めちゃくちゃゴルフうまいんだよ」

「それで、それで」

「ほかにも、芸能人や野球選手がたくさん参加していたんだ」

「へえ～、参加者からしてすごいコンペですね」

「そうそう。○×カントリーって知ってる？　名門ゴルフ場なんだけど」

会話例②

「先月、○×新聞のゴルフコンペに招待されたんだけどね。昔、阪神にいた真弓って知ってる？　彼と同じ組でまわったんだ。彼、めちゃくちゃゴルフうまいんだよ」

「それで、それで」

「ほかにもハンディがシングルの人たちばっかりのコンペでさ～」

「うわ～、うまい人たちのレベルの高いコンペだったんですね」

「そこでね、オレ3位だったんだよ。嬉しかったなぁ。おまけに、ハンディがシングルになれるかどうかもかかっていてね」

2つの会話例ともゴルフが話題です。

会話例①では、お客様にとって重要な話のポイントは、「参加者は有名人」ですね。ですから、そこをポイントに要約で会話を促しています。

会話例②では、「ハンディがシングル」「ゴルフのレベルが高い」が重要です。「ゴルフがうまい」を使って、要約し会話を促していますね。

ここまでは会話を広げることを意識しています。会話を広げた結果、深く掘り下げてみるといいかもしれない重要ポイントが見つかったので、ちょっと挑戦してみましょう。

深く掘り下げるためには、相手の話の重要ポイントに「思考のレベル」をあわせて、掘り下げる方向を決めるというテクニックを使います。

思考のレベルは、123ページの図のように6つの階層に分かれていると考えられています。会話のなかでは次のように表現されます。

1 **環境（場所・時間・人などについての思考）**
「私は、クラブSで働いています」

2 **行動（私たちがすること・考えること）**
「私は、今月、先月の売上より10%アップさせようと、既存客の満足度を上げることを努力しました」

3 **能力（持っているスキル・資質・資格）**
「私は失敗を恐れない能力と高いコミュニケーションスキルがあります」

4 **信念・価値観（行動の根本にあるもの。なぜその行動をするかの部分。大切にし

ていること）

「私はお客様への心配りを大切にしています。お客様の笑顔を見ることが大好きです」

5 アイデンティティ（自分の存在を定義する使命の部分）

「私はナンバーワンホステスであり、看板ホステスです」

6 個人を超えた部分（家族・職業・地域社会・国・地球・宇宙といった分野）

「銀座の文化を次の世代に伝えて、銀座文化を残していきたいと思っています」

左の図と照らしあわせて、相手がどの思考の段階で話しているのかを見つけます。相手の思考にあわせた話をするので、相手には自分のことを理解してくれているし、考え方も似ていると自然に感じてもらえます。

会話例に戻りますね。

会話例①は、「環境」の話ですね。ラウンドをまわった人、参加者の属性、コン

相手の思考のレベルを探り、レベルをあわせて話を掘り下げる

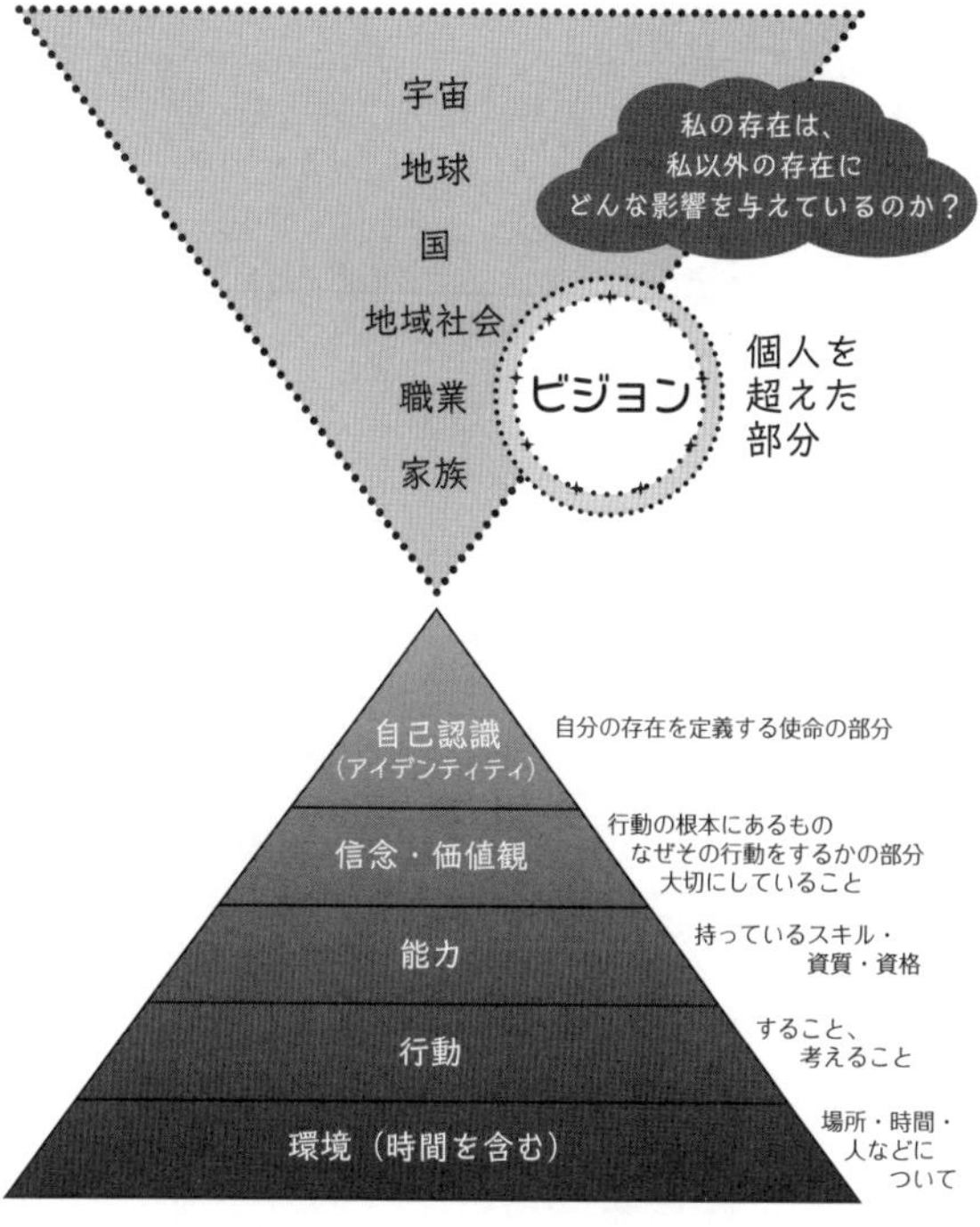

（ロバート・ディルツ博士による）

ペ会場、コンペの主催者に話題が集中しています。会話例①を掘り下げるならば、「環境について」が話題になるように質問をしていくと「相手の話したいこと」で盛り上がることができます。

会話例②は「能力」の話ですね。話題の中心は「ハンディがシングル」「うまい人と」「3位になった」です。会話例②を掘り下げるならば、「能力について」が話題になるように質問していくと「相手の話したいこと」で盛り上がることができます。

相手について持っている情報のなかで、思考のレベルをあわせると、より深く信頼関係を結べ、会話が盛り上がるようになります。

慣れてきたら、思考のレベルのなかでも、ピラミッドの上位の部分で会話を展開することを意識しましょう。すると、信念や価値観、個人を超えた部分など、いわゆる深い話ができるので、親密度が一気に深まります。

昔、とある宗教団体で合同結婚式というものがありました。人種も国籍も違う男女が、お互いを知ることもなく結婚する。常識では考えられないですよね。

でも、思考のレベルで考えると、とっても理にかなっています。同じ宗教を信じているということは、信念・価値観・個人を超えた上位部分が同じということ。同じ信念を持つもの同士なら、行動や環境などをつくりあげることは簡単です。根本的な考えや好みが一緒なのですから。

環境や行動、能力といった表面上の「あなたを理解しています」という会話で慣れてきたら、広げる質問や要約を使って上位レベルの話題に移るようにしましょう。

ゴルフ場を経営されているGさん。

「最近は、ゴルフのエチケットやマナーを知らない人が多すぎる。勝てばいいというプレーヤーばかり。マナーを徹底させ、格式の高いゴルフ場にしなくちゃいけないんだ。だいたい、いまの若者は……」

と、えんえんと批判が続きます。

しかし、よく聴いていると、

「オレは、ゴルフを愛しているんだ。だから、ちょっと雑草が生えていれば抜くし、自分がプレーしたあとは、時間がかかってもきれいにならす」

と、途中から自分がいかにゴルフを愛しているかの話に移りだしました。

これは、信念レベルで話を掘り下げ、深い信頼を得るチャンスです。

「Gさんは、ゴルフを愛してるんですね。ゴルフへの愛から経営も考えていらっしゃるんだ」

と要約で質問。

すると、

「そう。自分のゴルフ場が儲かればいいって話じゃないんだ。もっと大きいところからの発想なの。ゴルフへの愛だよ。若いのによく話を聴いてるな。やっぱり銀座は違う！　気分いいな～。オレはね、昔から何でも愛から……」

と、熱く信念を語ってくださいました。

もちろんこの日以来、Gさんは、来店されると必ず、水希をお席に呼んでくださるようになりました。

広げる質問で掘り下げるポイントを見つけたら、思考のレベルを見極めて、掘り下げていってくださいね。

盛り上げ質問テク①
省略されているものは何？

話を掘り下げると一口にいうけれど、実際どうしたら話が深くなったり、広がったりするの？　と感じられている方は多いようですね。

「水希さんて、ほとんど話をしないのに、お客様は楽しまれていますよね。どうしてですか？」

と後輩から相談されることがあります。私は人見知りの話下手ですから、どうにか自分が話をしないで、会話を盛り上げられないものかと、そればかりを追求してきました。

実は、自分が語るのではなく、相手に語ってもらうようにする**「質問の技術」**があるのです。

これは、カウンセラーが使っている技術です。この技術は、私たちが話をするときのクセを使って、質問するポイントを絞り込んでいます。つまり、そのポイントに絞って質問していけば、必ず会話は広がるか、深くなっていくのです。

ここからご紹介するテクニックは、慣れないうちは、要約やあいづちでは会話を広げられない、掘り下げられないという場合限定で使ってください。なぜなら、どうしても尋問調や非難めいた感じを与えがちな、つっこみ型の質問だからです。

でも、会話はつっこんでいかなければ盛り上がりません。会話を盛り上げるということは、話を具体化していくことだからです。

具体化のために質問を使います。まず、質問で会話の方向を決めます。さらに、質問すべきポイントに集中して質問することで、会話をある一定の方向に展開することができます。

つっこみ型の質問を使っていく際には、声のトーンや態度に気をつけます。軽めのノリとやさしい声のトーンで、質問するようにしてください。ちょっと難しく感じて、できないかもと思われるかもしれませんが、だいじょうぶですよ。

会話への気配りは、機械的に質問をするのではなく、話を促す、広げる、相手を理解するために質問するんだと心得ることからはじめればいいのです。

さて、先ほど、私たちには話をするときにクセがあると言いました。そのクセに効果的に響く質問をするポイントは3つです。

1　省略されているものは何？
2　一般化されているものは何？
3　決めつけられているものは何？

では、これらの実践的な使い方を順にマスターしていきましょう。

まずは、**「省略されているものは何？」**です。

「いや〜、もう、まいっちゃったよ。大変なんだよ。問題なのは、誰もわかってないことなんだ。これから説明しなくちゃいけない」

実際、こんな話をする人、よくいます。この話には、省略されている情報がたくさんありますね。ちょっと推測すると、

1　何か困ったことが起きている
2　起きたことよりも、誰も問題を理解していないことが問題らしい

3　誰かが何かを誰かに説明しなくてはいけない

この3つでしょうか。

この話のように、私たちが自分の体験について話をするとき、すべてを表現するにはあまりに情報が多すぎるため、すべてを伝えず省略して話をするクセがあります。

ここで、どんな省略が起きているかに注目すると、話を具体化する質問をすることができます。

*「誰が？　何を？　いつ？　どこで？」

省略質問の1つ目は、「誰が？　何を？　いつ？　どこで？」です。先の例で言うと、

「大変ですね。で、いったいどんなことが起きたのですか？」

「大変ですね。誰が（問題を）わかっていないのですか？」

「大変ですね。誰が説明しなくてはいけないんですか?」

「大変ですね。誰に説明しなくてはいけないんですか?」

「大変ですね。なんと説明する必要があるのですか?」


この5つの質問が考えられます。

会話を盛り上げることとは、具体化することでした。そして、質問には、話の方向を意識しながら、思考が論理的にすっきりするように、交通整理をしていく役目があります。

ここでは、まず、何が起きたのかを話してもらうと、相手の状況が把握できますね。次に、誰に何を説明しなくてはいけないかを話してもらうと、一連のストーリーが見えてきます。あいまいな話が具体化され、会話が盛り上がっていきます。

*「何と比べて?」

省略質問の2つ目は、比較対象への質問です。

「それなら、もっといい店があるよ」

と言われたら、あなたならどう続けますか。

「そのお店、教えて！」

と話を進めるのが普通でしょう。

「もっと〜」「よい」「悪い」など、何かと比較する言葉が聴こえたら、質問するポイントです。

「どんな点（を比べて）で、そのお店は『もっといい店』なのですか？　ぜひ紹介してください」

この質問で、お店の名前や所在地だけでなく、そのお店の素晴らしい点まで話してもらうことができます。勘のよい方ならお気づきでしょう。「素晴らしい点」を話してもらうと、相手の価値観もついでに引きだせますよね。

＊「誰が決めたの？　何を基準に？　根拠は？　誰が言っているの？」

省略質問の3つ目は「判断」に関する質問です。

例①「あいつは何をやってもダメなんだ」

例②「しょせん、社長といってもしがないサラリーマンよ」

こんなフレーズをよく耳にしますよね。私たちは、明確な基準や根拠もないままに判断して、あたかもそれが真実であるかのように話をします。

前述のフレーズには、反射的に、例①には「そこまでダメでもないいんじゃないですか」とか、例②には「そんなことないですよ」と返しますよね。すると「いやぁ、○○で△△でダメなんだよ」と会話が続きます。これは盛り下がる会話ですね。

本人が無意識のうちに、何かしらの基準や根拠で判断を下したことは、慰めでは覆されません。しかし、本人もはっきりと意識していない基準や根拠を、質問を使って話してもらうと新しい展開が生まれます。

「ダメって、どこからがダメで、どこからができる人になるの？」

「ダメというのは、○○○で。できるというのは、△△△で……」

「しがないサラリーマンて、誰が決めたの？」

「誰って？　自分でだよ」
「なんで（何を根拠に）、しがないって自分で決めたの？」

話が展開しだすのが、わかりますか？　判断した根拠を明らかにしていくと、相手の価値観や信念の部分に話が及びます。そう、深い話ができるポイントでもありますよね。

＊「具体的に、誰に、何が起きているとそうなるの？」

省略質問の４つ目は、名詞に動きをつける質問です。

例①「ストレスがすごくてね」
例②「クラブは敷居が高いから」
例③「君には、可能性があるじゃないか」

「ストレス」とか「敷居」とか「可能性」とか言われると、具体的なものが何か見えなくて、動きがなくなっていますね。こういう名詞化されて動きがなくなった部分があると、次のように自分の頭のなかで勝手に補って考えてしまいます。

① ストレスと聞くと、自分にとってストレスのかかる状況を瞬時に想像して、それはさぞやつらかろうと考える。

② 敷居が高いと言われても、よくわからないな。堅苦しくて、楽しくないということかなと、ああでもないこうでもないと想像して、なんとなくわかった気になる。

③ 可能性がある？　じゃあ、あの夢がかなうのかしら？　と勝手に自分で想像する。

3つに共通していることは、相手がどんなプロセスやおこないを具体的にイメージして話しているかが省略されているので、自分でその部分を補ってしまって、そこで会話を終わらせてしまう点です。

誰が、誰に対して、何をやっているのかが、具体的にイメージできるように質問すると、会話が深くなります。

①「どんなふうにストレスが加わっているのですか?」

②「どういうことがあると、ストレスに感じるのですか?」

③「敷居が高いって、具体的にはどんな感じがするの?」

「どんなふうだと、敷居が高くなるの?」

「私のどこに、どんな可能性があるの?」

①のケースは、日常でもよくある会話でしょう。先日も具体的にストレスのかかる状況について質問してみたら、あんがい2つくらいしかなくて、お客様が急に機嫌がよくなったなんてことがありました。

1つの言葉の背景には、たくさんのことが隠されています。省略されて隠された相手の背景を探すと、会話が盛り上がっていきます。

盛り上げ質問テク②
一般化されているものは何？

私たちが話をするときの3つのクセのうち、1番目は「省略されているもの」を探す、でした。次は**「一般化されているもの」**を探します。

例①「○○ちゃんには、一度断られているからな。もう誘えないよ」
例②「部下は、オレの話をもっと聴くべきなんだよ」
例③「ホステスはみんな、お客ときたら、お札だと思っているんだ」

私たちは、ついつい限定したり（例①）、制限したり（例②）、あらゆる可能性を無視してひっくるめて考えたりして（例③）発言をしてしまいます。

裏返して言えば、このポイントを質問すると、「限定」「制限」「無視した可能性」が明らかになって、話が広がります。

また、私たちは日ごろ多くのことを体験するなかで、限定や制限をしたり、一般化して、信念をつくりあげています。つまり、信念について触れることができるので、深い会話になるポイントでもあるのです。

*「何がそれをさせないの？　させるの？」

例①のように、「できる」「できない」「する」「しない」といった言葉が聴こえたら、する質問です。

「○○ちゃんには、一度断られているからな。もう誘えないよ」
「何がもう一度、誘うことをさせないの？」
A「うーん、もう傷つきたくないって思いと、これ以上悪い印象は与えたくないってことかな……」
B「一度断られているから、誘うべきじゃないんだよ」

2つの展開が考えられます。Aのように、相手が判断したことを答えてくれると、相手のことが理解できますね。「自分を守る」ことが優先されているという相手の重要ポイントがわかります。会話の方向は、「自分を守り」つつ、○○ちゃんとの関係をどうしたいかになりますね。

先日、あるお客様が、ほかのクラブの女性についての思いを、まさに例①のフレーズで話してくださいました。

「私にこうして話すくらいだから、本当はもう一度誘いたい気持ちが強いように感じるけど。何がもう一度、誘うことを止めているの？」

と質問してみました。

すると、質問によってお客様のなかで結論が出たようで、

「わかった。ありがとう。僕は○○ちゃんを大切にしたいんだ。だって、僕は既婚者だからね（笑）」

と、すっきりしたと感謝されました。

慣れてくると、アドバイスせずに悩みの解決にも導くことができます。

さて、Bのような返事があった場合、次の例②と同じ質問をして、さらに深く話すことができます。

*「もし〜したら(しないと)、どうなるの?」

例②のように、「〜すべきだ」「〜すべきでない」「〜しなければならない」という言葉が聴こえてきたら、する質問です。

例①のBの場合なら、こうなります。

「一度断られているから、誘うべきじゃないんだよ」
「もし、もう一度誘ったとしたら、どうなると考えているの?」

例②の場合

「部下は、オレの話をもっと聴くべきなんだよ」
「もし、部下があなたの話をもっと聴くようになると、どうなると考えているんですか?」

例②のような会話は、クラブでは日常茶飯事です。先日も、このとおり質問をしてみると意外な展開になりました。

実はその部下、母子家庭で育ち、母親にラクをさせたい一心で仕事に励んでいたようです。しかし、なかなか結果が出ない。上司であるそのお客様は、部下の母への気持ちをくんで、一人前にしてやろうと応援するつもりで厳しく鍛えたそうです。

しかし、厳しく接しているうちに、お客様の話を聴かなくなり反発するようになったといいます。お客様としては、父親代わりの気持ちでいたそうです。部下の愚痴が言いたいのではなく、父親代わりの気持ちが伝わらなくて悲しい思いをしていた、ということがわかりました。

このテクニックを使うことで「ああ、また部下への愚痴ね。あなたが『べき、べき』ってうるさいからよ」と、さらりとスルーしなくてよかったなと思った会話になりました。自分の価値判断を横に置いた、お客様への純粋な関心がなせる技です。

＊「みんなって誰？　例外は1つもないの？　決して～ないの？」

例③のように、「みんな」「いつも」「決まって」「すべてが」「誰もが」という言葉が聴こえてきたら、する質問です。

「ホステスはみんな、お客ときたら、お札だと思っているんだ」
「いままで出会ったホステスが全員そうだったのかしら？　例外が1人くらいいないですか？」

このように質問して、一般化する際に削除した可能性を探ります。
「いつも彼女が冷たいんです」などという場合、たいていは直近の冷たくされた体験を指しています。

オブラートにつつむように、やんわりと質問する必要がありますので、質問の前に、「ちょっとうかがってもいいですか？」とつけるといいですね。

さて、例③のようなフレーズは、よく聴きます。たいていは、さらりとスルーする会話です。私も昔は、「嫌なこと言う人だな。そんなにホステスが嫌いなら、飲みにこなければいいのに」と思っていました。

あるとき、あまりに強い口調で繰り返すので、「この人は、何をもってこの考えを持つに至ったのだろう。きっとそう思わざるを得ないもっともな体験があるのだろう」という興味が湧いて、質問の力をかりました。

そのお客様は、最近まであるクラブのホステスさんと真剣につきあっていたのに、別れてしまったという話をはじめました。話しぶりからも、2人とも真剣だったようです。

お客様も、相手の女性が自分をだましたとは思っていません。その恋愛の思い出が深いから、二度とホステスとは恋愛をしないようにしようと決めたそうです。あの嫌な発言は、みずからに言い聞かせる意味で言っていたのだそうです。

一見、偏見？　と嫌な気分になる言葉の裏に、お客様なりのストーリーや思いが込められている。そんなことを知るよい体験がテクニックで得られたのです。

日常でも、偏見や差別を感じさせる発言の多い人っていますよね。何かの機会に深く聴いてみたら、意外な相手の一面を知ることができるかもしれません。

制限された言葉の可能性を開いていってくださいね。

盛り上げ質問テク③
決めつけられているものは何？

いよいよ最後となる3番目のポイント、「決めつけられたものは何？」です。

私たちはけっこう、根拠も不明確なまま、事実を歪曲《わいきょく》して、決めつけてしまうところがあります。「決めつけて」しまったことで、実は、気持ちにいろんな制限がかかるので、悩んだり、苦しくなったりします。

このポイント3では、相手の決めつけているものに注目して、会話を深く掘り下げていくか、話題を変えるかを決めます。「決めつけ」の度合いによっては、面倒な会話になる可能性が高いので、必ずしも質問してつっこまなくてもいいのです。

では、実際の例を使って、使えるようにしていきましょう。

例①「あいつは、僕のことが本当は嫌いなんだよ」

例②「いつになったら、社員にオレの思いが伝わるんだろうか？」

例③「君に会ってから、会社の業績がいいんだよ」
例④「○○ちゃんは、約束の時間にいつも遅刻するんだ。僕のことになんて興味がないんだよ」

4つの例文を読んで、それぞれ何が決めつけられているかわかりますか?

*「どうしてそう思っているってわかるの?」

例①「あいつは、僕のことが本当は嫌いなんだよ」の場合、「嫌いだ」と決定するに至った経緯をまず質問します。

「どうして嫌っているって、わかるようになったんですか?」

必ず、本人にとって証拠となる事実が出てきます。ここでたいていは「気のせいだよ」と返してしまうでしょうね。会話に深まりや広がりを持たせるために、ここで発言者の気持ちに寄り添い、丹念に嫌いだと結論づけるまでの経緯を聴きます。

相手に寄り添い、丹念に聴いていると不思議なことに、相手は自分で勝手に決めつけているポイントに気づくんです。不十分な証拠で、物事を判断していたことに自分で気づけば、本人はかなりラクになります。

こちら側としては、どんなところで決めつけてしまいがちな人なのかも知ることができ、次回からの対応（言葉の選び方、態度など）の助けにもなります。

＊「隠された前提は何？」

例②「いつになったら社員に、オレの思いが伝わるんだろうか？」と一方的な決めつけが隠された形で表現されています。「オレの思いは伝わらない」という決めつけの前提が隠されていますね。

「社員に思いが伝わっていないと感じるのはどんなときですか？」と、相手が前提として「社員に思いが伝わらない」と感じていることを明らかにして、その状況を話してもらいます。

この質問をすると、「社員に思いが伝わらない」という自分の考え方を受け入れられたので、すごく相手は安心して気持ちがゆるみます。そして、ますます話しやすくなって多くを語ってくれます。

ここからは少し余談です。あまり好きではない男性に好意を寄せられたときに、皆さんにも参考になると思うので、少し横道にそれますね。

夜の世界では、この前提を含んだ会話で悩まされることがあります。

「これだけ通っているんだから、わかるよね？」

「僕を単なる客以上として思ってくれているなら……」

という場面です。2つの場合の前提は、もちろん「つきあって」という意志表示ですよね。仕事上、バシッとお断りすることができませんので、こんなときは「かぐや姫」戦法です。ありとあらゆる無理難題をお客様に話します。もちろん冗談めいてですが。するといつのまにか、冗談で会話が終わってしまうのです。

たとえば「旅行」に誘われたら、絶対実現しそうにない場所をあえて言うのです。

「え？　旅行ですか。そうですね、行くんだったら、マチュピチュに行きたいな」

「私、音楽が大好きなので、イタリアはミラノのスカラ座でオペラが聴きたい！」

なんていうふうに。

もちろん、お客様も「まずは近場の温泉で」と言うでしょうが、こわれたCDのように、「マチュピチュ」「スカラ座」の魅力について話を通します。そうしていると、たいていの方はいったんあきらめてくださいます。

いまのところ、この「かぐや姫」戦法で負けたことはありません。相手の気分を害することもなく、海外の話で盛り上がれるので、お得です。

＊「具体的にはどんなふうに原因になっているの？」

例③「君に会ってから、会社の業績がいいんだよ」は、よく見るまでもなく「私に出会ったこと」と「会社の業績がいい」ことの因果関係が見出せませんね。

因果関係が見出せないときは、本来は「私に会ったことが（具体的に）どうして会社の業績がよくなることに関係するのですか」と質問するポイントなのですが、こういう会話は必ずしも掘り下げなくてよい会話です。

なぜなら、因果関係のないところに無理やり因果関係を持ち込むときは、たいていは、相手の感情をコントロールしようという意志が裏で働いているからです。

例③の場合なら「幸運の女神」扱いで多少の口説きに入ってきているので、「そう言ってもらえると嬉しいです」なんてやり過ごすことができますから、相手の口説きのコントロールもさらりとかわせます。

「景気が悪いから気分が悪い」などは、景気の悪さと気分の悪さに、直接の因果関係はないにもかかわらず、とにかく自分は気分が悪いのだから、どうにか気分をよくしろ、もしくは、あなたも同じように気分が悪くなってしかるべき、というコントロールが入ってきています。本人は気づいていませんが、こういう会話がはじまったら最後、こちらの気分が滅入るまで相手は会話を続けます。

前述のとおり、「具体的にはどんなふうに原因になっているのか」を深く掘り下げるよりも、「そうですね」と受けて、違う話題に変えるとよいポイントです。

＊「どうしてXがYを意味するの？」

最後の例④は「○○ちゃんは、約束の時間にいつも遅刻するんだ。僕のことになんて興味がないんだよ」でした。

この話は、「○○ちゃんは、約束の時間にいつも遅刻する」と「僕のことになんて興味がないんだ」という2つの文が、あたかも1つの意味を成すように結合されています。ちょっと例③と似ていますね。でも、この場合、本人には話すことによって相手の感情をコントロールする気はありません。どちらかというと、純粋に因果関係のないことを、あるように決めつけてしまっています。

遅刻することと自分に興味のないことは、まったく別ですよね。ですから、こういうふうに質問します。

「遅刻すること、イコール興味がないってどういうこと？　関係ない気もするけど」

この例④のような会話は、わりと冗談にしやすいですよ。先日もこんなおもしろい場面がありました。お客様が野菜スティックを食べながら、

「オレって午年《うま》だから、にんじん好きなんだよな」

と一言。すかさず、「午年とにんじん好きって関係あるんだ」と茶化すと、その場がどっと笑いの渦に。

お笑い系接客が苦手な私でも、この場面なら笑いにすることができます。何の関係もないことが２つつなげられていたら、お笑いのネタにするか、真剣に掘り下げて聴くか、状況を判断して使ってくださいね。

第４章のここまでの質問のスキルは、言葉の調子や顔の表情をやわらかくすることを意識してください。真剣顔や真剣トーンだと尋問になってしまいますからね。

やわらかーく質問するように、**要約＋質問**の形をとってくださいね。

質問が「尋問」にならないためのルール

あなたが、初対面の人と関わりを持つ際に、大切だと思っていることはなんですか？　もし、あなたが、自分自身と知りあったら、どうやって関係をつくっていこうとするでしょうか？

最近、カウンセラーとして名刺交換をする場面で、非常に疲労する自分がいることに気づきました。

水希としてもカウンセラーとしても、初対面の人と話すことには慣れていますし、初対面というだけで疲れを感じることはありません。不思議だなと思い、名刺交換の場面をくわしく分析してみました。

たぶん、皆さんもよく体験する標準的な会話例だと思います。私の例でちょっと見てみましょう。

「カウンセラーなんですか？」

「はい。Fさんは、○×商事で営業の仕事をされているんですね」

「ええ。いろいろ資格も持っているんですね。この資格は、どこでとられたのですか？」

「ああ、それは、○○で××してとりました。Fさんは……」

「へー、わー、事務所が丸の内なんですね。すごいなぁ。家賃高いでしょ？」

「そんなでもないですよ。それより、Fさんの会社も丸の内で、近くですね」

「いやぁ、そうはいっても丸の内。高いでしょ。いくらくらいなんですか？」

「○×万円です」

「へぇ。やっぱり高いですよ。カウンセリングってどんな人が来るんですか？」

「私の専門は、うつやパニック障害などですね」

「それはけっこう本格的ですね。疲れるでしょ。やっぱり、負のエネルギーを受けちゃうっていうか。なんでカウンセラーになったんですか？　やっぱりご自身にも心のことで悩んだ経験があったりするんですか？」

「……」

このどこかちぐはぐな初対面の会話。疲れるのわかりますよね。何をどう変えていけば、相手を疲れさせず、関係を築く会話ができるのでしょうか？

ここまで一緒に、初対面の関係づくりを練習してきたあなたならおわかりですね。第1に、相手と関係を築く最初のステップは、信頼の土台をつくるということ。そのために必要なことは、相手に自分は安心して話せる人物だとメッセージを送ることでした。

また、質問をすることで、5つの裏のメッセージのうち、どれかが伝わるとお話ししましたね。名刺交換の段階では、質問はYESセットで終了です。YESセット以上に、私が体験した会話例のように、相手のことにつっこんで質問してはいけません。相手には「情報収集している」「興味本位」「尋問」というメッセージを強く送ってしまいます。

YESセットができたら、ネタふりです。相手と自分に共通しそうな周辺情報で何気ない話をします。時間があれば、のらりくらりと会話を続けて、15分かけて信頼の土台を築きます。

名刺交換の時間が少ししかない場合には、YESセットだけでなんとなく話しやすい人だという好印象を残すことまでにしましょう。

第2に、質問は会話の方向を決める役目があるという点です。

私たちは、会話を続けていないと不安なため、無理やり質問をして、会話を続けます。そして自分を安心させてしまいます。第1の改善点でも述べたように、これは「質問」ではなくて「尋問」です。相手にはストレスを感じさせるだけだということを思いだしましょう。

自分の安心のために会話をするのではなくて、相手が話しやすいように会話をするのが私たちの習得してきたテクニックでしたね。

また、方向を意識しない質問は、あちこちに話の流れをふってしまいます。相手の思考もあちこちにふられて、ストレスを感じてしまいます。

私が疲れてしまう会話例も、質問がランダムすぎて、あちこちに話が飛んでいます。さらに、この例では、私の質問に対して相手は一切答えていません。自分のことを隠しすぎて、不信感さえ感じます。

横に広げていくのか、深く掘り下げるのか、どのレベルの話題をテーマにすればいいのか、常に方向を意識しながら、会話が1つのストーリーとして流れていくようにしていく。ストーリーを意識しながら、具体化していく。これが、会話を盛り上げるということです。

前項までで紹介した3つの質問テクニックは、相手の話につっこんでいきます。相手に尋問していると感じさせやすい、ちょっと気配りの必要なテクニックです。心構えとしては、信頼関係を築いたあとに使う、話の方向を見出すための質問だと思ってください。そのうえで、質問を尋問や非難と感じさせないために次のテクニックを使ってください。

*要約のワンクッションを入れてから質問する

直前の話を要約して、短く質問をつけます。

たとえば、

「しょせん、社長といっても、しがないサラリーマンだよ」

A「しがないって誰が決めたの?」

B「社長といっても、しがないサラリーマン……かぁ。それって誰が決めたんですか？」

あなたなら、A、Bどちらで質問されたいですか？

やっぱり、ワンクッションあるBですよね。要約でクッションをつけて、尋問メッセージを和らげてくださいね。

人との関係は、言葉で情報を集めて相手を把握し、その情報に応じて築くという考えは捨てましょう。

相手の心に招待されるにふさわしい、安心できる人物だというメッセージを送り、相手に敬意を払いましょう。

はじめは、相手の話したいことを話してもらう。あなたを理解したいですというメッセージを送りつづけることを忘れずに。

もう「会話を盛り下げるしぐさ」はしません

言葉に集中してくると、しぐさや態度でもメッセージを送っていることを、ついつい忘れてしまいます。

第1章、第2章で、姿勢をあわせたり、大きくうなずいたりすることを覚えましたね。ここでは、無意識のうちにクセになって、知らないうちに会話を盛り下げてしまうしぐさや態度をまとめて紹介します。

自分にそのクセがないか、チェックしてみてください。

＊髪を触りながら話す

意外と髪の毛をいじりながら会話をする女性は多いですね。極端ですが、もしあなたの友人が「死にたい」と泣きながらあなたに話をしてきたとしたら、あなたは、髪をいじりながら、友人の話を聞きますか？

髪をいじりながら、話を聞くと、

1　あなたの話って退屈、興味ないわ

2　不安だな、そわそわ、落ち着かないわ

この2つのメッセージを伝えてしまいます。

ひところ、髪を触ると弱さやセックスアピールになると言われていたようです。本当かな？　と思い、お客様の意見を集めていたときがありました。

男性の本音は、「退屈しているんだな」「頼りなさげで、頭が悪そう」との答えに集約されました。女性が思っているようなプラスの効果はないようです。髪をいじるクセのある人は、いますぐやめましょうね。

ただ、男性が女性の髪にセックスアピールを感じることはたしかです。私は髪が長く、丈夫でツヤツヤしているほうです。水希として、髪をクルクルにセットしてもツヤツヤした質感が残ります。お客様からは、「あのさ、お願いがあるんだけど。髪、触ってもいい？」と言われることがよくあるんです。

自分で髪を触って女性をアピールするよりも、思わず触れたくなる髪を目指して、お手入れするほうがスマートな女性ではないでしょうか?

*髪をかきあげる、前髪をいじる

髪をかきあげるしぐさは、昔から色っぽいと言われていますね。たしかに、効果はあるのですが、度を越えると、相手には会話を切るメッセージとして伝わります。髪をかきあげたり、前髪を耳にかける動きは、相手の目には「宙を切る」ように映ります。せっかくリズムのできていた会話も、手の動きで切られ、崩れてしまうのです。私もこのことは、カウンセラースクールで習うまで知りませんでした。

水商売の女性が、髪型をガチガチに固めるのは、美しさのためだけでなく、接客のサービスに徹するという意味もあるのかもしれません。

*口角の下がった表情・眉をしかめた表情

ニュートラルな感情の状態で会話をしているときの自分が、どんな表情をしているかご存知ですか?

相手のことを意識しなかったり、会話に集中したりしていると、たいていの人は、口角が下がった不満顔になっています。

ニュートラルな状態での表情は盲点なんです。

昔、所属していたあるお店にテレビの撮影が入ったことがありました。そこで撮影された自分の映像を見てビックリ。自分は「真剣に」話を聴いているつもりが、表情は口角が下がって「むすっ」としているんです。どうりで、たまに、お客様から「なんか気分悪くするようなこと言った？」と聞かれるわけです。

もちろん、会話の内容によっては、口角を上げた微笑の表情がそぐわないこともあります。でも、むすっとした表情では、相手だって心配します。

ニュートラルな表情をする場面では、口角を1ミリくらい上げた顔を意識すると、むすっとしていないし、微笑んでもいなく、真剣だけど、凛《りん》としていて美しい表情になります。

これを意識すると、まわりと必ず一歩差をつけられますよ。

口角と同様に、真剣に話を聴いていると、眉をしかめながらになる人もけっこう多いものです。眉をしかめながら聴くと、女性としては美しくないですし、相手には「あなたの話に納得できない」というメッセージを送ってしまいます。

何を隠そう、私は相手の話を頭のなかで反芻しながら聴くクセがありました。反芻するので、眉はいつもしかめた状態。あるとき、お客様に、突然、眉間を指で押さえられ、こう言われたことがあります。

「水希ちゃん、眉間にしわを寄せて、話を聴くのやめたほうがいいよ。なんか、言ってることがわからないのかなって不安になるよ」

そのときの眉間を押された感覚が衝撃的で、このクセはぴたっと治まりました。

皆さんも友人同士でチェックしてみてくださいね。

どんなときも、凛と美しく話を聴く人を目指しましょう。

＊姿勢が悪い

姿勢が悪いと、第1章からつみあげているテクニックが、台無しになってしまいます。誰かの話に引き込まれて夢中になって聴いているとき、背中を丸めていたり、だらしなく腰掛けたりしないですよね。

だらりとした姿勢になっているとき、退屈していたり集中できなかったりしていませんか？

猫背な人は、それだけで損をしています。せっかく一所懸命、聴いていても、目から入る情報で「本当は退屈？　だらしない人？　自信のない人？」と相手に考えさせてしまいます。

逆に、姿勢がいいと、「あなたの話に敬意を持って、聴きたいと思っています」というメッセージを伝えることができます。

背筋を伸ばし、肩甲骨をきゅっと背骨に寄せる。そして、首をまっすぐにし、あごを引いて、首が前に出ないようにします。

姿勢がいいだけで、人はあなたに注目しますし、話してみたいと思います。その証拠に、売れっ娘で姿勢の悪い人はいません。

第1章でも触れましたが、人は言葉だけでなく目に映るものからも情報を得るという傾向があります。しぐさや態度が発するメッセージのほうが、時に真実めいて相手に伝わっていることをお忘れなく。

その代わりに、このしぐさで会話を盛り上げます

ついついやってしまう会話を盛り下げるしぐさや態度の代わりに、今度は会話を盛り上げるために、ぜひともやっていただきたいしぐさや態度をご紹介します。ここまでつみあげてきたすべてのテクニックを忘れても、これだけを実践していれば、だいじょうぶかもしれません。

＊身を乗りだして

映画やテレビ、講演などを夢中になって見ているとき、私たちの体は自然と前傾姿勢をとっていませんか？　興味を持って夢中になっていることに対して、体を後ろに引いたり、首をかしげたりはしません。

うなずいたり、言葉で「それから、それから？　続きはどうなるの？」と相手が話しやすいように、いくら徹底しても、体を後ろに引いてる状態だと、せっかくの

テクニックも効力半減です。

カウンセリングスクールでも、話の聴き方で最初に習うのは、体によるメッセージの表現方法です。

思い返してみると、売れっ娘の先輩ホステスは、みんな前傾姿勢で接客をしていました。話が盛り上がってきたな、ここが相手の重要なポイントだなという話のときには、さらに前のめりになって、お客様と体が近くなっています。すると、お客様はさらに盛り上がって楽しそうに話を続けます。

体を前傾姿勢にしていると、興味のない話でも集中して聴けるという二次的な効果もあります。前のめりになって、夢中で話を聴いているというメッセージを発信して、会話を盛り上げていきましょう。

*リアクションは豊かに

顔の表情は、喜怒哀楽を話の内容にあわせて、オーバーなくらい表現しましょう。

想像してください。あなたの話を、目の前の相手がおもしろい場面では思いっきり笑い、びっくりした場面では驚き、悲しいときには悲しい表情を、それも身振り手振りつきで聴いてくれたら。

あなたも、この人は話を理解してくれてるな、感情面までわかってくれるんだと嬉しくなって話も進みますね。

カウンセリングでも銀座でも、クライアントやお客様が多くを話せるようにすることが、私たちの役目。相手の言葉を多くするためには、こちらは言葉を少なくし、相手の発言を促していく必要があります。カウンセラーは、表現やリアクションで、理解しているよというメッセージを伝えるための訓練をします。

銀座では、私たちは、楽しい話では大げさなくらい「どっと」笑い、真剣な話は息を潜めて聴き入ります。リアクションにメリハリを持たせて、伝わりやすいように工夫しているのです。

メリハリの持たせ方にはコツがあります。それは、プラスのリアクションを相当大きくすることです。そして、マイナスのリアクションはそんなに表情を変えなくても伝わるようにすることです。

やはり、マイナスのリアクション、たとえば、怒りの感情にあわせた表情や、苦悩の感情にあわせた表情は、女性を美しく見せません。笑顔や驚きのプラスのリアクションを大きくして、小さな変化で怒りや苦悩にあわせたリアクションを表現できるようにしましょう。

＊うなずきはタイミングが命

うなずきについては、何度もお話ししてきましたが、やっぱり最強の武器です。最強の武器の効力を最大限に発揮するために、うなずく「タイミング」の重要性について、あらためてお話しします。

前述したように、カウンセリングスクールで、うなずきについて学んだ私は、さっそく銀座で効果のほどをたしかめようとはりきっていました。

習ったとおりのタイミングでうなずく練習からと思い、挑戦してみると、あることに気づきました。

ホステスは皆、自然と大げさにうなずいているのですが、自分自身も含め、規則性のないものだったのです。周囲を細かく観察してみると、小刻みに「うん、うん」とひたすらうなずいている娘や、やたら大きくうなずいている娘、適当にうなずいている娘に分かれていました。

そう、誰一人として、タイミングを考えて、うなずきを入れているホステスがいないんです。皆、自分のリズムなのです。ですから、話の「、」や「。」を意識してうなずこうとすると、まわりとずれてすごくやりにくい。

それでも、練習、練習と頑張っていると、おもしろい現象が起きました。お客様の話が、一段落したとき「水希ちゃん、で、いままでの話、わかった？」と私に要約を求めるのです、

どの席でも、ほかに何人ホステスがついていようが、皆が話の内容を理解しているかどうかの確認をとりたいときには、なぜか「わかる？」と水希に確認をとるということが続きました。

つまり、どんなにうなずいて話を聴いていますと態度で示しても、理解していますというタイミングでなければ、話を理解して聴いていますというメッセージにはならないということです。

だから、話が理解されているか確認して安心したいために、お客様は、正しいタイミングでうなずいていた水希に「わかる？」と要約を求めるのです。

授業や講演でも、首を「うん、うん」とふっている人ほど、内容を理解していな

いと皮肉を言われることがありますよね。

私たちはやはり、しぐさや態度などの目に見える情報に影響されやすい傾向がかなり強いようです。

ここまでテクニックを磨いてきたあなたは、「、」「。」のタイミングにうなずきを入れることを徹底して、会話を本当の意味で盛り上げていってくださいね。

第5章

これができたら無敵
もう一度会いたい女性《上級編》

「サバイバル・クエスチョン」で元気にしてくれる女性

第5章は、上級編です。第4章までのテクニックが身についたかなぁと感じたら、この章でご紹介する上級テクニックにチャレンジしてみてください。

テクニックを習得する一番の近道は、1つのテクニックを徹底して練習することです。今週は「姿勢あわせ」と決めたら、徹底して「姿勢あわせ」だけを練習します。無理なくできるようになったら、次のテクニック「声あわせ」に移ります。

1つずつ習得し、つみあげていくことで、上達が早くなります。

さて、第5章がなぜ上級編なのかと言いますと、ここからは、少しずつですが、自分が会話をリードしていく立場になるからです。

いままでは、相手の話をいかに一所懸命聴くかに終始していましたよね。第5章からは、ちょっとずつ、気づかれないように、自分が会話をリードしていきます。リードすると言っても、あくまでも相手の話の内容を使ってリードします。しゃべりすぎは禁物ですよ。いまは、ようやく2人のダンスの息があってきて、自分がリードして踊れるくらいの感覚です。

第3章では、ほめることで相手を認める方法を身につけました。そのなかで「母の愛タイプ」は第5章でくわしくお伝えするとお話しした部分になります。

これから紹介するテクニックは「サバイバル・クエスチョン」というもの。その名のとおり、苦境にある相手に元気になってもらうテクニックです。

もちろん、苦境とまではいかなくても、うまくいかないことをうまくいくようにする質問です。第4章で、質問の5つの裏メッセージを紹介しましたが、これは、そのなかの「気づきを促す」裏メッセージを送る質問なんです。

こんな感じで使います。

お客様①「最近さ、まったくやる気がしないんだよね。上司からも『このままじゃ、クビだ』って言われるくらいなんだ。やる気がしないっていうか、集中できないというか……」

水　希①「そっか。なんかわからないけど、やる気がしないんだ。でも、クビがかかっていたら相当プレッシャーよね」

お客様②「そうなんだよ。なんかわからないから、どうしてだろうって、余計に考えて仕事が手につかないんだ」

水　希②「どうしてだろうって考えてもわからなかったんですか。考えるほかには、どんなことしてみました？」

お客様③「うーん。ほかに？」

水　希③「そう。だって、やる気がしないままじゃ、まずいって、いろいろ考えるからこそ、私に話してくれたんでしょ？　本当は集中して気合い入れて、いつものように仕事やりたいんですよね」

お客様④「うーーん、ここまでくるとやる気とかの問題じゃなくて、オレが本当に仕事できない、能力のない人間なんじゃないかと最近は思ってるんだ」

水　希④「自分に能力がないって思ってしまったのね。そう思うに至るまでに何かやらなかった？」

お客様⑤「あっ、そうそう。最近、大きなプロジェクトが終わった直後だったんだ。そう、少し緊張の糸がゆるんだのかもしれない」

水　希⑤「そうだったんだ。大きなプロジェクトが終わった直後なんですね。お疲れ様でした。体も心も休みたいんですよね。やる気が出ないのも無理ないですよ」

お客様⑥「そうだよね。少しくらいゆるめたっていいんだよね。それなのに、オレ、余計なこと考えないようにって、気合い入れるためにスポーツクラブでトレーニングしてたよ」

水　希⑥「え〜、トレーニングしてたんですか。めちゃくちゃやる気あるじゃないですか」

お客様⑦「あはは〜、トレーニングに気合い入れても、仕事に打ち込めなきゃね（笑）」

水　希⑦「じゃ、少しゆっくりモードで仕事するってことはやってみました？」

お客様⑧「まったくそんなことは考えてなかったね。いつもいかに集中して、やる気持ってやるかだけだったよ」

水　希⑧「じゃ、ためしに、明日一日、ゆっくりモードで仕事してみて、どんなふうにKさんが感じるかやってみてくださいよ」

お客様⑨「そうだね。そうしてみる。少しは休んでいい時期だったんだね。なんか気がラクになったよ」

ちょっと例文が長くなりましたが、水希はどこで「サバイバル・クエスチョン」を使っていたかわかりましたか？

「サバイバル・クエスチョン」は、「ソリューション・フォーカスト・アプローチ」というカウンセリング手法のなかの1つの技法で、危機的状況（自殺をほのめかしていたり、DVを受けたり、事故にあったり）にある人に対しておこなう質問のテクニックです。

危機的状況に対処するために、その人が、これまでどんなことをしてきたかを問います。すると相手は、最初は自分がどれだけ危機的かを話すでしょう。それでも、その危機的状況をねぎらいながら、「どうやって、いままでこの苦しい状況を乗り切ってきたのか」と問いつづけます。

すると、いかに危機的かで頭のなかがいっぱいになっている人でも、「どうやって、いままで、この苦しい状況を乗り切ってきたのか」という問いに答えるために、頭が動きだします。その結果、それまで何もできないと思って絶望していたのに、意外と自分で対処できていたことに気づき、先に進む力が湧いてくるのです。

さらに、この質問のよいところは、「どんなことをやったのか」を聞いている点です。答えはどうしたって「何かやったこと」「何かやれたこと」の前向きなものしか出てこないのです。

「サバイバル・クエスチョン」の仕組みがわかったところで、さっきの質問に戻ります。水希はどこで「サバイバル・クエスチョン」を使っていたでしょう?

水希②の発言で「考えるほかには、どんなことしてみました?」とまず公式どおり、いままでどうにかしようと自分で対処してきた方法を聞きだそうとしていますね。

次に水希③で、お客様が「どうしてだろうって考えている」と話していたことを使い、もう一度「ほかにしたことはないか」を「私に相談しているんだったら、何かあるはずだよ」と間接的に表現して、再びこれまでに自分で対処してきたことを質問していますね。この間、お客様の頭のなかでは、「何を考えただろう、何をしただろう」とグーグルやヤフーのように検索がはじまっています。

すると、新しい事実が出てきました。お客様⑤で、つい最近まで大きなプロジェクトに関わっていたことがわかりました。

ここですかさず、水希⑤は、ねぎらいほめで「お疲れ様。それではやる気が出ないのも無理ない。休んだほうがいい」と提案します。

そんな水希との話の間にも、お客様の頭のなかは「何かしたこと」を検索しているので、「トレーニングしてみた」という情報が出てきます。

そこで、水希⑥では、トレーニングするなんて、やる気があるじゃないとお客様の力を呼び起こしているのです。

すると、お客様は、それまで自分はまったくやる気も能力もないと思っていたのに、やる気があることや、やれる能力があることを思いだして元気になります。

自分はやれるんだと元気になったあとだから、水希⑦の「ゆっくり仕事するように」というアドバイスにも、本当は焦っている状況なのに素直にやってみようかなとなるのです。このお客様の場合、「自分にはやる気がない」から「自分にはやる気がある」に、本人の認識を変えることで元気づけることが、水希の役目なのです。

たいていは、お客様④の会話のあたりで「少し休んだら」とアドバイス的なことを言ってしまいます。お客様は、まだこの時点では、自分がやる気のない人間だと思っているので、「わかってないな、オレの気持ち」となって、会話が終了してしまいます。

サバイバル・クエスチョンにはたくさんの公式がありますが、一般に使えるものは次の2つでしょう。

①（苦しい状況のなかでそれを乗り越えるために）どんなことをやってみました？

②どうやって、これ以上悪くならないようにしているのですか？

②の質問は、①で質問しても一連の悪くなる状況を語りつづける人に効果的です。一連の状況説明が終わったら、すかさず、ねぎらいを入れてから、「どうやって、これ以上悪くならないようにしているのですか？」と使います。

この質問では、悪くなってはいるけれど、ここで留まっていられるのは何がよかったのだろうと、相手のなかの可能性を引きだせるんです。

初対面でも、話のレベルあわせをしていくと、いわゆる深い会話になりますので、使えるようにしておくといいですね。

「悲しいストーリー」で守ってあげたくなる女性

第3章でもお話ししましたが、男性はどんな欲求を満たそうとクラブへやってくるか覚えていますか？

そう、「承認・支配・優越」の欲求を満たすために来ていましたね。

第3章では「ほめる」ことを通じて「承認」欲求を満たすテクニックを習得しました。ここでは、「承認・支配・優越」の欲求を一気に満たすテクニックをご紹介します。

もちろん、女性にだって「承認・支配・優越」の欲求はあります。

このテクニックは女性にも十分通用しますよ。特に目上の女性には効果がありますので、使える場面がやってきたら、ぜひ使ってみてくださいね。

ここで習得するテクニックは、ずばり「自己開示」を使った**「悲しいストーリー」**テクニックです。

私が初心者のころ、あるママがお客様に効果的に自分を印象づける方法として、次の3つのことを教えてくださいました。


第1に、お客様に「すごい」と言わせてはいけない。

第2に、できるだけ悲惨な自分のストーリーをつくりなさい。

第3に、悲惨までいくと引かれてしまいそうな場合には「応援してあげたいと思わせるような、ちょっぴり悲しいストーリー」をつくりなさい。


第1の「お客様に『すごい』と言わせてはいけない」の理由は、すぐにわかります。第4章のNG3タイプのうちの「ほめてもらいたがりやさん」ですよね。

ここでは、ママのアドバイス、第2、第3の教えを使って、「承認・支配・優越」の欲求を一気に満たしてみましょう。

水希がどこのお店に移っても、たいていの人は「悲しいストーリー」を持っていました。本当に悲惨な人生の娘もいますし、きちんとつくりあげている娘もいます。

どちらにしても、「悲しいストーリー」を持っていると、お客様は色恋を通りすぎて、私たちに親身になってくださいます。

第1章からつみあげてきた2人の信頼関係ですが、このくらいの段階になるとお客様のなかで変化が現れます。「水希ってどんな娘なんだろう」という純粋な関心が、むくむくと湧いてくるのです。

そして、90%の確率で「なんでホステスやってるの？」「昼は何か別の仕事してるの？」と質問を受けます。

ここが勝負の分かれ目。お客様がやっと自分に興味を持ってくれ、自分のことを話してほしいと心から感じている瞬間です。いかに印象づけられるか。ここで使うテクニックが**「悲しいストーリー」**なんです。

いろんなストーリーがありました。一部をご紹介しましょう。

「母子家庭で、母も年をとってきて、いろんなことができなくなっているんです。母は私しか頼る人がいないのに、1人で住むってきかないし。母のぶんの生活費も稼がなくちゃいけないんです。昼のOLのお給料じゃ、まかないきれないですから」

「親と折り合いが悪くて、高校までは我慢しましたが、もう限界。とりあえず1人で東京に出てきたの。でもね、一応田舎の進学校だから、友人はみんな大学に行っているんです。私も最近は大学に行きたいなって思ってて、昼間は勉強しながら、いまは学費をためているんです」

「早くに両親をなくして、親戚をたらいまわしにされながら、高校までは行ったんです。でも、たらいまわしの間、すごくつらくて……(涙)、水商売なら稼げるから、1人でもだいじょうぶだろうって思ってやってみたんです」

「離婚したばっかりで。高校出てすぐ結婚しちゃったから、事務職とかできないし、なんか気になってホステスやってみたんです」

「私は将来、ジャズシンガーとしてやっていきたいんです。いまでも週1でライブハウスで歌っていますが、それだけでは暮らしていけないから」

「私は、ネイルのサロンを開きたいの。それで、サロンのオープン費用と、いまはまだスクールに通っているから、その学費のためかな」

この具体例たち、読むだけでも男性の「承認・支配・優越」の欲求をうまく満たしているなと感じませんか？

相手の心のなかでは、こんなプライベートなことまで話してくれるんだから、「オレは信頼されているな（承認）。よーし、この娘がうまくいくように（優越）、何かいいアドバイスをしてあげよう（支配）」

と、心が動いていきます。

この「悲しいストーリー・テクニック」には、さらに相手のある面を刺激する効果もあるんです。

実は、人と親密になるときに私たちが得ている感覚があります。正確には6つありますが、この場面で得られるのは次の感覚です。

弱いところや、プライベートな話を聴いているうちに、「自分を必要とする人に対して、その人の安定に責任を持つことができると感じ、それによって『自己重要感』が増す」というものです。これが、相手の頭のなかで動きだすのです。

一般で使用するならば、年齢が若い人同士の場合には、かわいげのある人を目指すといいですね。ふだんビシッと決めている人だったら、ちょっと自分の弱いところを話してみてはどうでしょう。

たとえば、「私って完璧主義じゃない？　でも、家では全然違ってて何もできないの。仕事から離れたら抜け殻みたいね。趣味もないしね～」なんて、いつもビシッと決めている人が話しだしたらあなたの心のなかがうずきませんか？

「こんな完璧主義でいつもきちんとしている人が、自分の弱いところを話してくれている（承認）。よーし、家事だったら私は得意、趣味もいっぱいあるわ（優越）、何かアドバイスしてあげようかな（支配）」

相手が手を差しのべてあげたいなと思うスキルも必要です。

ちなみに、私の悲しいストーリーは、「はじめに」でお話ししたとおりです。

お客様、ママ、店長、スタッフ、ホステス仲間に支えられてきました。ひとり努力するだけでなく、人からの援助を受けとる余裕のある人が、実はどこか守ってあげたい人なんですよ。支え、支えられる関係って、すてきですね。

愚痴や不満をさらりと好転プラス思考に変換トーク術

最近、つくづく感じることは、カウンセラーとしての仕事も、ホステスとしての仕事も、人の話を聴くという点で重要なことは、ほぼ同じではないかということです。

『目からウロコのカウンセリング革命』(下園壮太著・日本評論社)という本に「上司に注意されたときにどんな行動をとるか」というおもしろい記述がありました。少し引用させていただきます。

さて、それでは、飲み屋のママさんや焼鳥屋の親父には、何を求めるのでしょうか。「愚痴をこぼしてただ聞いてほしい」。同僚には、うそをいったらすぐばれてしまう。しかし飲み屋のママさんは「そうー、マー君も大変なのね」とうなずいて聞いてくれる。そこで自分はこんなに努力していたのに、上司はそのことには少しもふれないで……と、自分サイドのストーリー（言い分）を存分に吐き出すことができるのです。

その場では、少々オーバーに表現して、時にはうそまでついても、相手の同情や慰めがほしいのです。さらに、真剣に聞いてくれている、自分を主役としていてくれるという「大切に扱ってくれる態度」を求めています。

まさに、第4章までに私たちが習得してきたテクニックですね。この飲み屋のママは、言葉でも態度でも「大切に扱ってますよ」というメッセージをしっかり相手に送っています。

ここからは上級編なので、大切に扱ってますよメッセージを送ったあと、さらに何をすれば、モテるのかというテクニックに入ります。カウンセラーのテクニックを身につけて、さらに愛され度を上げていこうというわけです。具体的には、愚痴や自分を卑下する人を元気にするテクニックを身につけます。

第3章のように、ただ「ほめる」「ねぎらう」だけではなく、相手の短所を長所に変えたり、もっと違う隠された能力を引きだしてあげるテクニックです。

物事には裏と表があります。光があれば闇がある、善と悪、成功と失敗、健康と病気、戦争と平和、などなど。同様に人の性格を見ても、見方によって長所にもなれば、短所にもなりますよね。つまり長所と短所は必ずワンセットなのです。

たとえば、次の水希とある社長（お客様です）の会話例を見てください。

お客様「部長は○○で××で、もう本当に仕事ができなくてね。その下の課長もダメでさー、1ミリでもずれたらダメな商品をつくっているのに、そういう意識がないんだよ。部長と課長がそんな感じだから、部員たちも適当な感じなんだよな。1ミリずれるとどれだけの損失が出ると思う？　3000万円だよ。信じられないよ～（以下、延々と続く社員のダメ話）」

水　希「Kさんて、ものすごく人を観察されてますよね。普通Kさん規模の会社になったら、とてもとても部員まで見られませんよ。部長クラスくらいまでは把握できても、その他は把握できないと思うんです。すごい能力ですよね。その観察眼を使ったら、もっと業績が上がるんじゃないかしら？」

お客様「そうかなぁ。あまりにひどすぎて見えてるだけなんじゃないかな」

水　希「そしたら、一度、ためしに、その部長以下が会社に貢献している部分はないかに注目して観察してみてはいかがですか？」
お客様「そんなところあるかね」
水　希「まずはやってみましょうよ〜。彼ら1人1人の得意なことを観察して、適した部署に異動させたら、会社としてもよく回るんじゃないかと思ったんです」
お客様「たしかにそうだな。やってみるかな」

この場面、普通なら、お客様の詳細な社員ダメダメ分析を聞いて、愚痴ばっかり言って疲れる人となりますよね。どうにかして長所へと反転させられないかと考えると、「鋭い観察眼」と言えないこともない。

本人も、愚痴を言いすぎて、かっこ悪いなぁなんて内心は考えていますから、長所に反転して返せば、ほっとします。もちろん、よく話を聴いて、自分のことを見てくれているというアピールにもなります。短所を使って、新しい可能性を引きだすテクニックなのです。このお客様の場合、本当に試してくださって、異動をおこなったら、収益が前月比120%アップになったそうです。

ほかにもこんなことがありました。

お客様「今度、新規事業をはじめるんだけどね。僕としてはあまり気が乗らないんだ。なんていうか不安材料ばかり浮かぶんだよね」

水　希「どんな不安材料が浮かぶのですか？」

お客様「〇〇〇と×××と△△△と◇◇◇と……」

水　希「すごい量の不安材料ですね。それだけ不安材料が見つけられるということは、成功要因も見つけられるんじゃないでしょうか？」

お客様「成功要因？　そんなもの1つもないよ。どうしてOK出しちゃったんだろう」

水　希「不安材料がふっと気にならなくなったら、そのぶん、何を考えていると思いますか？」

お客様「うーん、不安の代わりに何を考えるかって？」

水　希「そう。不安の代わりに」

お客様「もちろん、どうやってこの新規事業を成功させるかってことだよね。ああ！　そうか！　どうやって成功させるかに、注目すればいいんだね」

水　希「そうですよ。不安のシミュレーションがそこまでできるんですから（笑）」

これは、マイナス面に注目しすぎて、失敗の可能性ばかりに頭がいっている社長さんでした。

本当にものすごい数の不安材料について語ってくださったので、これを反転させるには？　と思いついたのが、物事の損益です。損の部分をこれだけ分析できるのだから、益の部分も同じかそれ以上できるはず。

後日どうだったかうかがうと、利益になる部分のほうが多く見つかったそうです。

相手が愚痴やみずからへのマイナストークをはじめたら、一所懸命話を聴いて、プラス面はないかを探してください。

物事には必ず裏と表があります。裏を提示してあげれば、相手は自分の新しい可能性に気づき、とても幸せになれます。マイナストークが聴こえてきたら、裏面を提示し、プラスの気づきにできる可能性に頭をめぐらしてくださいね。

愚痴や不安をさらりと好転 前向き思考に変換トーク術

私たちは、第2章で話の3要素について学びましたね。人の話は、経験・行動・感情で構成されています。ここでは違った角度から、話の内容別のテクニックを身につけましょう。内容については ハッピーな話か、不平・不満・悪口・噂話・相談ごとか、仕事・恋愛の話ですよね。

ハッピー系の話をしているときは、さほど苦もなく第4章までのテクニックで盛り上がります。でも、これが、不平・不満・愚痴といったネガティブな会話だったら、あなた自身が、違う方向へそれなりにリードしていかないと疲れてしまいますよね。前項では、自分の会社、自分の能力についてのマイナストークがはじまったら、それをいかにプラス面にも気づかせるかが重要でした。

ここでは、さらにパワフルな「ミラクル・クエスチョン」というテクニックを身につけてみましょう。

悩んでいる人の頭のなかは「悩みがなくなれば、どんなにかラクだろう」という考えで埋まっています。過去や現時点で、問題となっていることに焦点を当てています。その焦点を、解決後の未来へと導くのです。

「悩みがなくなればいい」と考えていると、いつまでも前に進めません。悩みがなくなったら、自分はどういう行動をしているだろう、周囲との関係はどんなふうになっているだろうと解決後を想像してもらいます。

すると、悩んでいる現在と理想とする未来のギャップが見えてきます。つまり、その人が悩みを解決するためにおこなうことは、そのギャップを埋める行動になります。

前項で下園壮太さんの本から一部引用させていただきましたね。飲み屋のママにお客様が愚痴をこぼすのは、真剣に話を聴いてくれ、自分を大切に扱ってもらいたいからでした。せっかく上級編までやってきたのですから、大切に扱うからこそ、問題の解決策までサポートできる女性になりましょう。

ここで、水希がどんなふうに、このテクニックを使っているか見てみましょう。

いつも上司と一緒に飲みにきていたお客様が、ある日珍しく1人で来店されたことがありました。珍しいなぁと思いながら、お席につきました。するとやはり、すごく悩んでいて、悩みの悪循環にはまっているとのことでした。

お客様①「自分はいつも同じことで、上司から注意されるんだよ。心が弱いって。あとちょっと我慢できればいいのに、心配になって焦って、結局、結果が出ない。これから先はもっと判断が難しくなるから、君みたいな神経じゃ耐えられなくなるぞ。心を強くするんだってまた言われて。もう入社以来ずっと言われつづけているから、自分でもいろいろ努力してるんだけど、今回ばかりはクビになる危険があるからね。上司が信頼している水希ちゃんだったら何かわかるのかなと、今日は来てみたんだよ」

水　希①「そっか、今回の注意はクビになるかもっていうギリギリのところなんですね」

お客様②「そう。だから僕も必死なんだ。でもさ、上司の言う強い精神力を持つって、難しいよね。ずっと言われつづけているわけだし、なんにもしてないわけじゃないいんだけどね」

水　希②「どんなことやってみたんですか？」

お客様③「まず、心を強くだから、心理学の本を読んだよ」

水　希③「まず本で勉強したんですね。それから？」（ワクワク感をこめて）

お客様④「上司の仕事のやり方やまわりのやり方を見たり聞いたりしたね。あとは古典的だけど、焦るな、踏ん張れって、声かけしてきたかな」

水　希④「心理学の本を読んだり、先輩たちのやり方を観察したり、意識的に『踏ん張れ』って、たくさん改善してきたんですね」

お客様⑤「そう。だけど、いま一歩、前に進んでいけないいんだよ。変われていない。だからクビ宣告までされる。いったいどうしたらいいいんだろう？」

水　希⑤「出口の見えない迷路のなかって感じですね。突然ですけど、ちょっと変わった質問してもいいですか？」

お客様⑥「いいよ。変わった質問て何？　何？」

水　希⑥「本当に変ですよ。いいかなぁ、あのね、今夜帰ったら当然寝ますよね。でね、寝ている間に奇跡が起こるの。それは、Nさんが私に相談しようと思うことになった問題が解決するっていう奇跡なの。残念なことにN

さんは寝ているので奇跡が起こったことを知らないの。明日朝、起きて、どんな違いから奇跡が起きて、問題が解決したんだってわかると思う？」
お客様⑦「えっ、問題がなくなっているんだよね？」
水　希⑦「そう、問題が解決するっていう奇跡が起きてるの。そうすると、いつもとどこかが違うはずなの」
お客様⑧「まず、朝起きた瞬間に、頭のなかの宿題が消えてなくなっていて、頭に軽さを感じるだろうね」
水　希⑧「頭の感覚だけで、奇跡が起きたって確信できます？」
お客様⑨「うーん。そう言われると……。奇跡が起きたぞーっていうときは、意外と落ち着いてるかもしれない。いつも焦ったりしてソワソワしてるから」
水　希⑨「落ち着いてる感覚はどのへんで感じるの？」
お客様⑩「え？　どこで感じるか？　うーん、後頭部と胸のあたりかな」
水　希⑩「後頭部と胸のあたりが落ち着いてる感覚があれば、奇跡が起きて、強い心のNさんがいるんですね」
お客様⑪「うん。そうそう、いつもうまくいくときは、落ち着いてるよ。そうか、落ち着きを後頭部と胸で感じるように、自分に落ち着けって言えばいいのかもしれない」

水　希⑪「ぜひ、明日からやってみて。自分の仕事がうまくいっているときに、自分や周囲に起こっていることも観察しておくといいかもしれないですね」

お客様⑫「上司が水希ちゃんのところに通うわけがわかったよ。ありがとう」

いまの会話を解説しましょう。

水希は、②③④で「サバイバル・クエスチョン」と純粋な関心を示して、Nさんにご自身の状況を説明してもらっていますね。Nさんがいままでどれだけ頑張ってきたか、Nさん自身にも感じてもらえるよう「ねぎらい」も忘れずに入れています。

現状が手詰まりで、先が見えていないことを⑤で確認して、いよいよ⑥で「ミラクル・クエスチョン」です。

ミラクル・クエスチョンで、一足飛びに解決した未来へ飛んでいってもらいます。解決した未来のイメージを持ってもらうと、現実とのギャップに気づきます。Nさんの場合、心を強くするとは、焦らず落ち着いて仕事をすることだったと気づきました。実際、その後のNさんはどうなったと思いますか？
「落ち着く」ことを意識して、焦りだしたら、深い深呼吸をすることにしたNさん。そうしたら、不思議と仕事がうまく回りだしたそうです。上司からも同じ注意は受けなくなったとのことでした。

このミラクル・クエスチョンは、未来に焦点を当てるので、自由な想像がしやすいのです。悩んで固まった思考よりも、頭が自由で柔軟になっているときに、人は思いもかけない劇的な発想が浮かぶという仕掛けがなされた質問なのです。

ただ、みんながみんなNさんのように、すぐに未来へ思いをはせることができるわけではありません。そんなときは「難しい質問ですよね」とか「奇跡が起きちゃうんですよ」とねぎらったり、盛り上げてみてください。

このテクニックは一般的には高度すぎるので、皆さんはこんな使い方をしてください。

「もしだよ、もし。あなたの悩みが解決しちゃったとしたら、どんなふうに毎日をすごしていると思う？」

「タイムマシンに乗って10年先に行ったとして、振り返っていまの自分にアドバイスするとしたら、なんて言う?」

現時点の愚痴や心配事などの悩みをある程度聴いたら、いきなり質問して未来へ連れていってあげてください。「いきなり」がポイントです。

会話を未来へ持っていけば、楽しい会話になるはずですが、ネガティブな人はただ未来へ持っていってもネガティブのまま。未来の話もネガティブになって逆効果になってしまいます。

しかし、このミラクル・クエスチョンは、唐突であり、何かちょっと現実離れした質問なので相手のネガティブなペースを崩すことができるのです。

理想の未来像がわかれば、あとは現時点とのギャップを埋めていくことで問題は解決していきますよね。人は解決の目処がつくだけでも、力が湧いてくるものです。

私はカウンセリングの現場で、幾度となくクライアントが落ち着きを取り戻し、考える余裕と一歩前へと行動する姿を見てきました。会話を本当に楽しいものに変えるミラクル・クエスチョン、ぜひ活用してください。

いいオンナには、苦手な人などいないのです

私たちは、第1章から第5章の前項までで、いろいろなコミュニケーションスキルをつみあげてきました。

残るは、いまいち苦手だな、ちょっと嫌いなタイプだなという感情を持っている相手と、どうコミュニケーションをとっていけばいいのかだと思います。

うなずきでリズムをつくろうとしても、まるでこちらの意図を見透かしているかのように会話が弾まない人。

基本的にあまりしゃべらない人。

言うことなすこと批判的な人。

とにかく気があわなくて、コミュニケーションが苦痛になってしまう相手って、いますよね。

苦手な相手には、次の4つのテクニックを使って乗り越えていきましょう。

1　相手にあなたの一番大好きな人の映像をかぶせる
2　プラスの部分を探す
3　教えてもらう
4　沈黙の活用

1　相手にあなたの一番大好きな人の映像をかぶせる

これは古典的ですが、非常に効果が高いテクニックです。私の場合、苦手な人には、ヒュー・グラントの映像をかぶせます。

「ヒュー・グラントと話をしているんだ」と思い込んで接していると、自然にニコニコできます。

何よりも相手の嫌な部分に注意がいきません。いいところにしか注意が向かないので、いままで苦手だったにもかかわらず、なぜか仲良くなれてしまうのです。

はじめて勤めたクラブのママには、「顔で笑って、心で泣いて、お客様を福沢諭吉何枚と思いながら、いろんなタイプのお客様をつかんでいきなさい」と教わりました。そこで、言われたとおり、しばらくは「諭吉が〇枚」と思って接客していたのですが、この方法はうまくいきませんでした。

心の奥の「諭吉〇枚」が相手に伝わってしまうんですね。第4章で取りあげたように、「ホステスはみんな、お客ときたら、お札だと思っているんだ」を、まさに裏メッセージで伝えてしまうのです。

これに対して、好きな人の映像をかぶせて接する場合には、「あなたに興味があります。あなたを大切に扱いたいです」の裏メッセージが伝わり、うまくいくんです。心理学の勉強をして、この方法を知ってからというもの、水希はオールマイティープレーヤーになったと思います。

相手が自分の大好きな人なんですから、無理なく、楽しく、積極的に相手のお話を聴くことができます。表情や声のトーンも明らかに激変です。かのゲーテもこのように言っています。

「人を見た目どおりに扱うと、実際以上に買いかぶることになる。だが、理想どおりの人間であるかのように敬意を持って接すれば、相手は理想的な人格になる」

ゲーテがこう言っているくらいですから、大好きな人の映像をかぶせれば、うまくいくのも当然ですよね。

2　プラスの部分を探す

このテクニックは、先ほどの「プラス思考変換トーク」とつながってきます。とにかく話を聴く間中、ずっと「この人、苦手とはいっても、あれ？　なんかいいこと言ってない？」と、話の内容のなかでいいところ探しをしてください。このテクニックの目的は、苦手な人を好きになることではなく、会話ができるように内容への拒否反応を少なくすることです。

いいところが見つかってからは、そのいいところに焦点をあわせて、会話を広げたり、掘り下げたりしていきます。

初対面のお客様で、何を言っても「そうじゃなくて〜」「つまり、要するに〜」「わからないかなぁ」と批判で会話を続ける方がいらっしゃいました。

もう本当に何を言っても「ＮＯ」つきで返ってくる。そして、「要するに」のあとには、私が要約でまとめて返したことが、そのまま返ってくるんです。

そこでふとひらめいたんです。このお客様には「そうなんだよ」の代わりに「要するに」「そうじゃなくて」という前フリのクセがあるんじゃないかって。

水希を嫌っているわけでもなく、話がかみあっていないわけでもないということに気づいたんです。

実はこのお客様、いまではもう数年来のおつきあいになっています。気持ちよく「NO」を言わせるのも、苦手な相手を攻略する方法ですね。

第2章の「YESセット」の反対で、「NOセット」の会話をしばらく続ければいいのです。相手が「NO」と言っても、それを自分への批判だと受け止めず、話の前置きに必要な言葉なんだと受け止めることが、「NOセット」に耐えるコツです。しばらく「NOセット」で会話をしていると、やっぱり相手には、「この娘、オレのことよくわかってくれるなぁ」が伝わるんです。そうすると、やがて息子さんのお話とか、最近見た映画の話とか、楽しい会話に転じていきますよ。

「NO」と言われるのは気分よくないけれど、それで相手の気分がいいのなら、しばらくは相手のダンスにつきあってみてください。

3　教えてもらう

これは無口なタイプ、よくしゃべるタイプ、どちらにも効きます。

たとえば、会話の内容が「金融」の話で、「水希ちゃん、ここまでのことわかった?」と聞かれたときです。ちんぷんかんぷんで、頭のなかが「?」だらけですから、さすがの水希もあわせられません。

こんなときは、すかさず「ごめんなさい。勉強不足で、いまいち理解できませんでした」と答えます。

そして、まず話の大筋は何かを教えていただきます。次には、その会話に出てくる専門用語や仕組みについて教えてくださいという気持ちで、説明していただきます。

第1章で説明したとおり、教えていただく気持ちで、話を聴いて会話を続けていくのです。そうすると、さらに裏メッセージで「あなたに興味津々です」が伝わります。

この教えていただくテクニックを使うときは、第4章で説明したとおり、体を前のめりにして、うなずきを大きくして、「お話がおもしろい。興味ある」を演出することも忘れずに。

これで、相手の気持ちをわしづかみできること間違いなしです。だって「優越」の欲求も満たしているのですから。

無口な方でも、自分の専門分野を相手に教えればいいのですから、自然と口数も多くなります。第1章で、お客様に講演タイムをつくるとよいとお話ししたことと、原理は同じです。

4　沈黙の活用

無口なお客様だと、会話の糸口をつかもうと「○○さんとは、どんなご縁で今日はいらしたんですか?」と聞いても、「たまたまね」で終わってしまうことがあります。

そういうときには、わざと沈黙を活用します。

カウンセラーの勉強をしていたとき、こう教えられました。「カウンセラーは、相手が話しださなかったら何分でも待たなければいけない」と。河合隼雄さんのご著書にも、50分の面接時間の間中、一言もしゃべらないクライアントもいて、ずっと黙っていたなんてことがあったそうです。

無口な人ほど、アイ・アクセシング・キューを見ると、目が右下を向いていることが多いのです。よく考えてから話すタイプだと、いったん判断して、話しだすまで次の質問はしないようにして、待ちましょう。

沈黙は、こちらとしても不安ですが、そこで矢継ぎ早に話をふっても逆効果。相手もうまく話せないことでプレッシャーを感じています。なんらかの形で話しだしてくれるのを待ってみましょう。

ただ、本当に無口な人もいます。5分くらい待っても進展がない場合には、2人の目の前にあるモノを使って、共通の話題をふっていき、会話をリードしてあげましょう。沈黙の基準は5分くらいですが、たいていは、相手が沈黙の重圧に耐えられなくなり、話しだします。2人して5分も黙っていることなんてありませんから、心配は無用です。

苦手な人が減ると、世界が広がります。人と出会うことがとっても楽しくなります。ぜひこの4つのテクニックを駆使して、苦手な人をなくしていってくださいね。

なんでもないような気配りが、相手の心をつかみます

会話編が続いたので、最後にしぐさや態度の上級編といきましょう。そう、気配りのお話です。気配りの達人は、相手に悟られないように気配りをします。

たとえば、お客様のグラスに、水割りが残り3分の1になったとします。まさしく水割りをつくるタイミングですよね。

でも、お客様はグラスを握りながら、話に夢中になっています。夢中になっていて、しかもグラスをずっと握りしめているので、水割りをきっと少ないまま飲むことになります。これでは、お客様に「不足」を感じさせたり、夢中になっている話を中断させたりしてしまいます。

気配りしていることをアピールするものだと勘違いしているホステスは、お客様が握っているグラスを奪ってつくろうとします。このとき、たいていのお客様はいままで夢中になっていた話を中断して「ありがとう」とおっしゃいます。これでは

気配りとは言えず、NG3人娘の「ほめてもらいたがり」になってしまいます。

私たちの仕事は心配り・目配りです。目に見える形であからさまにサービスするようでは、一流とは言えません。一流は、お客様が話に夢中になっていても、グラスから手を放した一瞬のスキに、さっとグラスをとって水割りを素早くつくって、何事もなかったかのように、お客様のコースターに置くのです。

「ありがとう」と、その場では言われませんが、こうして何回もタイミングのよい水割りづくりが続くと、「よく僕のことを見てくれている娘だなぁ」と感じてもらえます。私もこの気配りで、それまでお席についても、ホステスたちのいろいろな力関係で話すことができなかったお客様に、「水希ちゃんもおいでよ」と声をかけてもらえるようになりました。

皆さんの場合でも、合コンや飲み会などで、ここぞとばかりにお酌をしたり、食べ物を取りわけたりして、気配りの人をアピールする人がいますよね。これはあてつけのサービス、NG3人娘パターンなので、やめましょう。

それよりも、お酒がなくなりそうな人がいたら、注文してからお酒が出てくるまでの時間を考慮したタイミングで、「次、何を飲まれますか?」とさっとメニューを渡す気配りのほうが上品です。

パーティーなどでは、ほとんどなくなった飲み物を手にしている方がいたら、「お飲み物、お持ちしましょうか？」と話しかけるといいですよ。会話のきっかけをつくることもできますからね。

水希は、とあるパーティーで大江健三郎さんをお見かけしたことがありました。パーティーや銀座に出ることがない大江先生がいらしていたのです。ただ、ホステスは嫌いで話さないし、気難しい方だと編集者の方から聞いていました。

でも、水希は大江先生の大ファン。せめて握手をしてもらおうと思ったのです。そこで、大江先生は何を飲んでいるのかなとグラスを見たら「ジントニック」でした。しかも、ちょうどなくなりかけているところ。絶好のタイミングです。急いでバーカウンターへ行き、「ジントニック」を持って、大江先生のところに戻りました。

すると、さっきよりも「ジントニック」が減っていて、まさに新しいものとの替えどきです。勇気を出して、

「先生、新しいジントニックいかがですか？」

と話しかけました。すると先生は笑顔で、

「ちょうどいいタイミングにありがとう」

と答えてくださいました。この機会を逃してはならないと、勇気をふりしぼって、

「先生、私、先生の作品が大好きなんです。母が好きで集めていた本を、こっそり読んでいました。よかったら、握手してください」

と、ぎょっとして心配している担当編集者を横目に、お願いしてみました。

すると先生は満面の笑みで「ありがとう」と言って、握手をしてくださったのです。一生忘れられない日になりました。

合コンなどだったら、意中の人にだけ注目して、ドリンクや食べ物を取りわけてあげると効果的ですよ。

気配りの基本は、

1　相手に不足しているものは何?

2　相手がいまほしがっているものは何?

この2点を注意深く観察して、気づいたら、即実行です。

たとえば、雨の降る日、待ち合わせ場所に着いた友だちや彼氏の上着が濡れていたら、ハンカチでとんとんと水滴を払うだけでも、なんて気の利く人なんだと感動されますよ。

以前、「これが本物のホステスだ」とすごくおほめいただいたことがあります。それは、こんな状況でした。

2名で久々に飲みにいらしたお客様。長年勤めているホステスと話が盛り上がっていました。見ると水割りはつくりどきでした。話には入れてもらえそうもないので、グラスをとって、水割りをつくろうかなとした瞬間、そのお客様がタバコを吸おうとされたのです。

私はそこで、水割りづくりを即座にやめ、すぐにマッチを擦って、タバコに火をつけました。それから、水割りをつくり、お客様のコースターへ載せたのです。

そのお客様によると、最近のホステスは、注意が一点にしか向かないのだそうです。水割りをつくるなら、つくるだけ。タバコに火をつけるなら、つけるだけ。柔軟にサービスをする娘がいないと思っていたところに、いますべてベストなタイミングでサービスを受けたので、大喜びされたとのことでした。

このお席もまた、新しく水希がつける席となりました。

ちょっと水商売に例がかたよりすぎたので、日常で使える気配り行動をいくつかご紹介しますね。

●段差のある場所では、「段差がありますから、注意してくださいね」と声をかけながら、腰のあたりに手を置いてサポートし、段差を安全に降りてもらいます。

●エレベーターでは、「お先に失礼します」と言ってから、一番に乗り、「開く」ボタンを押して、エレベーターの扉を押さえておきます。右手で「開く」ボタン、左手で扉を押さえます。声をかけてもよさそうな人には、「何階ですか?」とお声かけをして、ボタンを押します。降りるときはその逆で最後に降ります。

●「すみません」の代わりに、相手が何かしてくれた、言ってくれた場合には、「ありがとう」と返しましょう。相手の好意は「ありがとう」で受けます。「すみません」をやめて「ありがとう」に代えると、相手の好意を受け入れられる女性として、輝きが増します。

●レストランなどで、おしぼりがまとめて出された場合、さっと1人1人に渡すのもさりげなくてすてきな気配りです。

●相手と別れる際には、相手が見えなくなるまでお見送りを続けましょう。ふと振り返ったときに、まだ見送っていたり、礼をしていたら、相手には「そんなに大切に扱ってくれてるんだ」が伝わります。

はじめは観察して、気づいたことを即実行できれば、十分です。余裕が出てきたら、今度は、先回りの気配りをやってみましょう。

水商売でたとえを出すなら、お客様が興奮して身振り・手振りが大きくなってきたら、グラスを倒す危険が大きくなりますので、手が触れないところへ少しだけ遠ざけたりします。グラスを倒して、お客様が気まずい思いをすることを防ぐ、先回りの気配りですよね。

もっと気配りの達人になりたかったら、一度マナー講座などで学ぶのもいいですよ。気配りは、観察↓気づき↓実行の繰り返しです。焦らず気配りの達人を目指しましょうね。

第6章

「愛」と「情」で本当に魅力的な女性になる

「愛（＝信頼）」で成り立つ「銀座」という世界

しぐさや態度について、言葉について、第4章までかけて、そのテクニックを丹念に習得してきました。第5章では、上級編にまで言及しました。

コミュニケーションの達人になるための最後のテクニックでもあり、要素でもある大事なポイントについて、これからお話しします。

最後の要素は、ずばり「愛」です。「愛」のないテクニックには「限界」があります。逆に、「愛」のあるテクニックは無限です。

当たり前だけれど忘れがちな「愛」について、私が学んだのも銀座でした。

「財布を持たずに、遊べるところが銀座だ」

と、かの吉行淳之介先生が生前おっしゃっていたように、お店で飲んだあと、毎回、帰り際に支払いをするという行為はヤボな人のやることです。

クラブの支払い方法は少し変わっています。

飲食代はその場で支払ってもいいですし、ツケにしてのちほどまとめて支払ってもいいのです。ツケは、店によって異なりますが、たいてい60日以内に店の口座に振り込むことになっています。

当然、回収できないかもしれないという不安が残りますので、ツケ払いにできる方は、その支払い能力・人間性を店から信頼されたお客様だけです。

支払いが危ないお客様や新規のお客様には、さりげなく最初は現金もしくはカードでの支払いをお願いします。

通っているうちに、支払い能力や人間性を、ママをはじめ、私たちスタッフが認めたお客様だけが、ツケ払いで飲めるようになるのです。つまり、「ツケがきく＝信頼されている」ということです。男性にとって最大の承認欲求が満たされるのです。

そのため、銀座で飲めることがステータスだと言われた時代もありました。いまは銀座で飲めるステータスよりも、魅力的なものがたくさんあります。高級マンション、高級車、高級時計、あげだしたらきりがないですよね。銀座のクラブに若いお客様が根づかない、苦しい時代になっています。

さて、先ほど、支払いのシステムについてお話ししました。クラブには「売上」といって自分で顧客の売り掛けを管理するホステスと、責任のないヘルプというホステスの2種類のホステスがいます。

クラブで「売上のホステス」になると、自分で顧客の支払いを管理するようになります。まさに、お店の一画を間借りして、個人商店を営業している状態です。

お客様の支払いが滞ると、「売上ホステス」は自分でそのお金を立て替え、店に支払わなければいけません。

私も「売上」をしていたときに、一度大きな失敗をしてしまいました。売上で上位に行きたくて、ちょっと支払い能力が危ないなぁというお客様をツケ払いに変更して、頻繁に飲みに来ていただくようにしたのです。

そして、見事ナンバー3まで、その月は達成できたのですが、ナンバー3を狙ったツケが、まさに自分のところに回ってきたのです。結局、その飲食代をお客様が1円たりとも払うことなく、どこかへ消えてしまったのです。私の被害額は銀座の相場でいったら、ほんのちょっとでしたが、いまでもこの失敗は痛い思い出です。

私はこの失敗以来、お客様をきちんと見る（観察する）ようになりました。信頼できるのか、できないのか、あらゆる方向からチェックしていくのです。

スーツの生地・ブランド・時計・靴・かばん・言動・お名刺をいただいていたら、仕事の内容、そんなところから細かくチェックします。

しかし、誤解してほしくないのは、このチェックは、相手を疑うこととは違います。「信頼」できる部分を探しているのです。「疑って」相手を見れば、相手には態度の部分で「あなたを疑っています」が伝わってしまいます。ですから、「信頼」できる部分はどこ？　という気持ちでチェックするのです。

おもしろいことに、お客様も私たちホステスを、信頼できる人物なのかチェックしています。第1章でも、お客様を見るとそのホステスがわかるとお話ししました。信頼できる、いわゆるいいお客様を持っている娘は、仲間の目から見ても「信頼」できるいいホステスです。

第3章のRママの言葉「人としてどうなの？」がやはり重要なのです。第3章では、お客様に対して「人としてどう接するか」をお話ししましたね。ほめて、認めるということでした。

今回は、自分自身が信頼できる人物であるとアピールする番です。といっても難しいことではありません。誠実に、目の前の相手を思って、愛を持って第4章までのテクニックを使うことが第一です。

そして、15分かけて話を聴いて、相手を認めていると、お客様のほうから「君はどういう人間なのか？」と問いかけられます。このときに、信頼できる人物であるかどうかを証明するのです。

このときは、第5章の「悲しいストーリー」にプラスして、**「夢見るストーリー」**を話します。そんなに悲しい状況なのに、それでも「夢」を持っているのかと、お客様は思わず応援したくなってしまいます。

これは、水商売の世界だけに限りません。相手があなたについて質問をしているということは、相手はもう自分は十分話したし、そろそろ君のことも知りたいなぁと思っているということです。そこで、自分の夢・ビジョン・使命などを話せば、しっかりとした軸を持っている娘だなぁと安心するのです。

水商売の世界は、堕ちていこうとすればいくらでも堕ちていける危険な世界。そのなかで、夢やビジョンを持って働いていると、それだけでしっかりとした軸を持った人間なんだと信頼されます。

すると、悲しいストーリーと同じで、お客様が思わず応援してくださいます。夢を語れば、思わぬところで夢実現のチャンスをつかむこともできます。

私の夢はちょっと大きいですが、この世界から「心の病」をなくしたいと思っています。そして、カウンセリングというものを日本に根づかせたい。そんな思いで毎日カウンセリングをしています。

自分の中心に1本の軸がある人は、常にその軸を意識して、相手に伝えていきましょう。人はぶれない人が大好きです。応援しよう、信頼しようという気持ちが大きくなります。

銀座という世界で、多くの経営者たちの栄枯盛衰を見てきました。やはり、中心にあるべき軸がぶれだすと、必ずと言っていいほど銀座からは消えていきます。現実はとても厳しいですね。

愛は信頼であり、信頼できる人には、中心軸があります。自分も相手も、その中心軸がぶれていないか、ちょっとだけ意識に残しておけば、いい出会いをつかむことができますよ。

「銀座」が教えてくれる「情」の大切さ

先ほどは、「愛（＝信頼）」で成り立つ銀座のお話でした。今度は「情」を大切にする銀座のお話です。

数年前の不況下のときは、夜の銀座もさすがに活気がなくなっていました。風の便りに届く話は、「お客様の会社がつぶれた」「クラブ〇〇が閉めるんだって」と、暗い気分にさせるものばかり。

水希の勤めているクラブでも「えっ！！！」と驚くことがたくさんあります。とても皆から信頼され、人気だったＹさんが倒産したというのです。その倒産額といったら目が飛びでるような金額です。大きなニュースになったので、出勤すると控え室はその話題でもちきりでした。

しかし、誰一人として、Ｙさんをけなす人はいないのです。「えっ！！！　Ｙさんが……もう会えなくなっちゃうのかな。寂しいね」と皆が口々に同じことを言っているのです。

ママや店長も、店に相当のツケが残っているのに、「会えなくなるのが寂しい」と。私はYさんにかわいがられ、担当でもあったので、人一倍ショックでした。声にならないショックです。「もう会えない」、それがとってもつらかった。

またあるときは、お客様のHさんが、Tさんというお客様にすべての責任をかぶせて、高飛びしてしまったことがありました。Tさんには相当の額の借金が残りました。

Tさんは私が担当でしたから、店に来られない状況はわかっていました。ですが、定期的にメールで連絡を取りつづけていました。励ます気持ちでした。

同伴してくれて、店に来てくれるから、いいお客様ではないのです。「カネの切れ目が縁の切れ目」なんてとてもとても嫌でしたから。

あるとき、あるお客様に、とあるクラブへ連れていっていただいたことがありました。そのママも、銀座で30年、お店を経営されている方です。何かの拍子に、いまの水商売は、という話になりました。

「あなたは、クラブFで、一番人気の娘よね。あなただからお話しするけど、銀座は『情』のある街なのよ。お客様への情、働いているスタッフへの情。この『情』が、銀座を支えているの。いまは女の子も、お客様も、情を大切にする人が少なくなってきたわ。寂しいものね」

いまは、小学生のなりたい職業ナンバー3に、「キャバ嬢」がランクインしたこともある時代です。お金がたくさん入って、タレント扱いされて、かわいいドレスが着られて、なんて考えているのでしょうね。

でも、お金が得られるからだけでは、続きはしません。

前項でもお話ししたとおり、「信頼関係という愛」がなければ、勤まりません。

銀座の帝王といわれているI社長は、よく冗談でこんなことを言います。

「僕が呑みにくるのは、義理と人情となにわ節だよ」

帝王Iさんのこの言葉は、重要な要素をもう1つ教えてくれます。そう「義理」という行為です。昔から銀座は、先輩から後輩へと通うお店を引き継いでいく習慣がありました。いまは、先輩から託された店よりも、自分が気楽に遊べる店へ行く時代となりました。

水希が勤めていたクラブでは、親子3代にわたって通っている方もいらっしゃいました。

昔、クラブは社交場でした。クラブへ行けば、誰かと出会い、そして仕事が広がる。そんないい世界でした。

いまはいくらでも情報が入るぶん、人間関係が希薄になっています。若い世代へと世代交代できず、つぶれていくクラブは多数。

銀座文化は、信頼という愛、人情、義理で成り立っています。現代に足りない、よき時代の日本の伝統が残っている数少ない場所。私は、このクラブという文化が残るといいなぁと思っています。

カウンセラーとしては、相手の治るという力を信じ、サポートしていこうと常に心掛けています。愛と人情にあふれるカウンセリングが私のカウンセリングです。

破産をした前述のYさん、実はニュースの半年後、店にひょっこりいらっしゃいました。このときの店中の興奮といったら、筆舌につくしがたいものがありました。

皆、口々に「Yさんに会いたかった。元気ですか？　嬉しいな」と再会を喜びあいました。もちろん飲食代はいただきませんでした。過去の楽しかった話に終始して、Yさんに楽しい気分になっていただき、お見送りをしました。いまでもあの感動は忘れられません。

借金を肩代わりしたTさんも、年末にいらっしゃいました。

「これが今日払える精一杯。いまの自分の自由になるお金は本当に少ないけど、これで飲ませてくれるかな?」

もともと、飲食代をいただく気はなく、ただ、元気にしているのかだけ知りたかったし、お会いしたかっただけです。ママも私も情には厚いので、その代金をいただきませんでした。

何よりも嬉しかったことは、Tさんが顔を出してくれたこと、再会できたことなのです。

この点からすれば、クラブは不明朗会計だと言われるのでしょうね。

でも、クラブは信頼と情でもっていますから、そのときのお客様の状況で、請求額が変わるのは当たり前なんです。

それは、こちら側からの気配りでもあるのです(ぼったくる店は論外ですが)。

ママが見込んだ人物は、通常価格より少し落として、通いやすくします。そうして、お客様を育てていくのです。不明朗会計にも情の部分が関係しているんですよ。

人間関係が希薄な時代に、深いつながりが持てる銀座。先日、水希は店からの帰り道にクルマにひかれそうになりました。間一髪のがれたのですが、ショックから震えがとまらなくなりました。そんな状況では、接客ができないと思い3週間お休みをとりました。

休みの間、私の交通事故未遂を知ったお客様は何人も電話をくださり、メールでも励ましてくださいました。

そして、お店復帰の日には、3週間も休んでいたら出勤しにくいだろうと「同伴しよう」とお客様から誘ってくださったのです。

やっぱり、情で成り立つ街、銀座は素晴らしいところだと再認識しました。

大事にしたい「知りたい」「理解したい」という気持ち

「愛」や「情」がなくては、質の高いコミュニケーションは得られないということがわかりました。その「愛」や「情」を支える心が、「知りたい」「伝えたい」という気持ちなのです。

私たち人間のコミュニケーション能力が、他の動物よりも複雑に発展していった背景には、「知りたい」「伝えたい」という気持ちが関係しています。

コミュニケーションは動物でもしていますよね。犬は「わん」と吠えることで、何かを伝えようとしています。「わん」の鳴き声や体の動きで、いろいろと飼い主は理解しようとします。

私たち人間は、もっと相手を知りたい、相手に伝えたい、自分を理解してほしいという気持ちを貪欲なほど持っています。この貪欲さから言葉が発展していきました。

言葉が発展する前は、ボディーランゲージや泣き声の微妙なトーンでコミュニケートしていたのでしょう。ですから、第1章で説明したように、言葉だけでなく、しぐさ・態度も、人は信用する傾向にあるのです。

知りたい思い、知らせたい思い、どちらも大切です。ただ、自分のことを想像してもわかるように、私たちは自分のことを伝えたいという思いのほうが正直強いですね。

でも、そこをぐっとこらえて、「あなたのことが知りたい」と相手の話を聴きながら、裏メッセージで伝えてきました。それが、第4章までに見てきた「知りたいという思いで接することで、相手の気持ちを満たす」テクニックです。

しかし、それでもぐっとこらえられないときに、役に立つテクニックがあります。それが**「知らない技法」**です。どれだけ相手のことがわかってきても、相手のことは「わからない」「知らない」のです。

たとえば、相手が「花火に行って楽しかった」と話したとしましょう。あなたは「花火」も「楽しい」も、自分の経験上、知っています。しかし、相手の経験上では、どういう花火でどういうことが楽しかったのかは知りません。

ここで「知らない技法」を使えば、会話は続きます。「どんな花火を見に行ったのか」「どんなことを楽しいと感じたのか」、まだまだ聴いてみないとわかりませんね。第4章で習得した質問の力を支えるものが、この「知らない技法」なのです。

アメリカの名司会者ラリー・キングにこんな逸話があります。

ある有名な経営者がインタビューを受けることになりました。友人に聞くと「忘れられない思い出になるよ」と言われ、期待を胸にインタビューを受けに行きました。行ってみると、ラリー・キングは自分の本を読んでいませんでした。彼はなんてふざけたヤツなんだと心のなかで思ったそうです。

すると、ラリー・キングは「いまから一緒に読みましょう」と言って、インタビューがはじまったそうです。そして、そのインタビューは、忘れられないものとなったとのことです。

その経営者はラリー・キングにたずねました。

「あなたは、どうしてそんな質問ができるのですか?」

「それは、私があなたに対してとてつもなく大きな好奇心を抱いているからです」

どれだけ相手のことを「知りたい」と思うか、その好奇心や気持ちに勝るコミュニケーションテクニックはありません。

相手のことを「わかろう」「共感しよう」とするとつらくなってしまいます。そうではなくて、「理解しよう」とするのです。

たとえば、「1+1=5」だと話している人がいるとします。そんなとき、「それは間違っている。答えは2だ」と話していては、会話どころか喧嘩に発展してしまいますね。

そこで、「この人は、どうして1+1=5だと考えるのだろう?」と、ふと立ち止まるのです。

すると「知りたい」気持ちが芽生えて、「それってどういうこと? もう少しくわしく説明してくれる?」と素直な気持ちで質問して、相手を知ろうとすることができます。

ただ、相手のものの見方・考え方を理解しようと試みるだけでいいのです。

その後に、自然と「わかる」ときもあるでしょうし、「共感できない」こともあるでしょう。でも、いいのです。あなたが理解しようとした姿勢は伝わるのですから。

共感できなかったり、わからなかったりしてもいいのです。そんなときは、相手の考え方を否定するのではなく、理解しようと心掛ければいいのです。

あなたが、どうしても相手の話に納得がいかなくても、相手を理解しようという姿勢で接すれば、相手はそれだけで満足してくれます。

共感できたり、わかったりすれば、なおよい！　くらいに思って「理解」に努めてください。そうすれば、次から相手はあなたのファンになっていますよ。

昔、誰もが嫌っているお客様Sさんがいました。Sさんはとにかく話がすべてお説教で、そのうえ、話す内容が毎回一緒です。全部で10パターンしかありません。隣にいるだけで本当に疲れる存在でした。私もカウンセラーになる勉強をはじめる前は、ヘトヘトになっていました。

ある日「知らない技法」を習ったので、Sさんに対して使ってみました。

Sさんは、その日はいつもの10パターンの話のうちのAパターンで話をはじめました。オチも何もかもすべて知っているのに、わざと知らない気持ちになって、次々と質問をしてみました。

「それからどうなったの？」

「それでそれで?」

「○○とはどういう意味なんですか?」

一緒についていた娘たちは、いまさらという顔をしていました。すると、やっぱりSさんがこれまで何度も話していたAパターンの話でも、「知らない技法」であらためて聴くと知らないことが多いのです。

その日は、いつものパターン会話だけでなく、いろんな話題に話が発展していきました。周囲も啞然の接客でしたね。

Sさん本人すら、「今日は、いい話ができた」と大喜び。それからSさんは、私と毎日同伴してくださるようになりました。

私は決してSさんに共感したわけでも、気持ちをわかってあげたわけでもありません。「知らない技法」を使って、Sさんという人物を理解してみようとしただけです。

どんな相手でも、この人はわからないとか、嫌だと否定して、シャットアウトしないようにしましょう。好きにならなくていいので、人に対して多くの好奇心を抱くのです。世界が広がって、本当に人に会うことが楽しくなりますよ。

さあ出掛けましょう！すてきな毎日が待っています

さあ、いよいよ、最終仕上げです。誰からも好かれる存在になるために必要な要素が全部出揃いました。

1 テクニック
2 愛
3 情
4 知りたいという思い

あなたなら、もうお気づきですね。テクニックと心の両輪があって、初対面で誰からも好かれる女性のマジックが起こるのです。

第1章では、テクニックのうち、しぐさや態度面での、当たり前で単純だけれど、重要なテクニックを身につけました。

第2章では、聴き上手になるための実践的なテクニックでしたね。第1章と第2章では、相手の「自分の話に共感してもらいたい」という共感欲求を満たしてきました。

第3章では、「ほめあいづち」を使って、承認欲求をタイプ別に満たすテクニックを覚えましたね。

第4章では、質問の力を使って、会話を盛り上げていくテクニックを身につけました。第4章はちょっと難しいなと感じられた方も多いかもしれません。ゆっくり身につけていってくだされば、必ず習得できます。安心してくださいね。

第5章は上級編でした。カウンセラーの技術を習得して、もっとモテるようになるテクニックです。初対面では、きっとほとんど使うことはないと思います。

ですが、私たちは、第1章から第4章までのテクニックで、すでに「もう一度会いたい」と相手から思われる存在になっています。会う回数を重ねるごとに必要になってくるのが、第5章のテクニックです。こちらも気長に身につけていってください。

全編を通じて、特に初対面では、自分を伝えたいという思いよりも、相手を知りたい、理解したいという思いを大切にしましょう。

まずは第1章から第4章までのテクニックを身につけていってくださいね。

そして、「相手を知りたい、理解したい」という思いを、常に意識してください。「相手を知りたい、理解したい」という意識が、あなたの第一印象に磨きをかけます。相手を知りたいと思う気持ちを持った人の目は、好奇心からキラキラと輝きます。キラキラした目で、少し前のめりになって「うん、うん」と話を聴く。

どうですか？　想像してみてください。

そういう相手となら、ずっと話していたいですよね。

最初は形から入れば十分です。第1章のメイクセラピーのところでもお話ししましたね。外見を整えると4つのいいことがありました。

1　積極的になる

2　自信が湧いてくる

3　満足度が上がる

4　不安が減少する

テクニックの場合も同じです。うまくいっているイメージを抱いてのぞめば、最初の一歩が踏みだせます。コミュニケーションの場合は相手があることですから、なかなかうまくいかないこともあるでしょうし、できているかどうか心配になることもあるでしょう。

「ローマは一日にしてならず」

形から入り、習得し、自分なりのコミュニケーション術をつくりあげる。

いまはちょうど、陸のうえで泳ぎの練習をしている状態です。泳ぎをマスターするには、結局は水のなかに飛び込んで練習しますよね。

同様に、コミュニケーションを上達させるには、どんどん人のなかに飛び込んで実践練習で上達していきます。そんな自信がないというあなた。残念ながら自信はあとからついてくるものです。

失敗したり、成功したり、ちょっと傷ついたりしながら、技術を磨いて、愛や情を感じる感性をとぎすましてください。

実は、あなたのその努力に失敗はありません。ただその方法ではうまく伝えられなかったというだけ。どうしたらうまく伝えられるんだろうと常に考えて、伝える技術に磨きをかけてください。

私はホステスの仕事で、人見知りで気が利かない自分をなかば強制的に成長させてきました。うまくいかないことのほうがたくさんです。

でも、いつもあきらめませんでした。

たとえ灰皿が飛んでこようが、ノルマが達成できずに罰金だけで給料がなくなったって、それでもいつか売れっ娘になるぞ、と目標をかかげ、耐えながら成長して、いまがあります。自信はあとからついてくるものです。誰だって最初から自信なんてひとかけらも持っていません。

でも、たゆまない努力をすることで、結果に伴って自信がつみあがっていくのです。

ここまで読みすすめられたあなたなら、だいじょうぶ。水希も、今日もコミュニケーションの荒波にもまれながら、頑張っていると思いだしてください。一緒に、もう一度会いたいと思われる女性を目指して頑張りましょう。

おわりに

この本を最後まで読んでくださってありがとうございます。

最初に出版した日から6年がたちました。いまでも「学校で会話の授業があればよかったのに」「どうにかしたいと思っていたけれど、いままでやり方がわからなかったんです」と6年前と変わらないご感想をいただきます。

幸福度の調査では「孤独を感じている」人の数が、日本は先進国のなかでトップ。人との関わりについて、悩んでいる人・苦労している人の数が多いというのが現実です。

私自身、様々なことがあって、人に対して心を閉ざしている時期がありました。「人は怖い」と臆病ぶっても、「人とは孤独なものだ」などと強がっていても、人との交流から逃れることはできませんし、何の解決にもなりませんでした。そんなときに私を孤独から救ってくれたのは、故渡辺淳一先生のこんな言葉です。

「人によって傷ついたなら、人によって救われる」

はじめは意味がわかりませんでした。しかし、努力も才能も人一倍に突き抜けた銀座のお客様との交流でだんだんと私の心は救われました。

人をもう一度信じようと思った次に気づいたことは、「人と関わりたい」と思っても「関わる技術がない」ということでした。関わりたい思いを会話にできないのです。いつも上滑りな会話で終わってしまう。

しかし、自分の思いを、相手が理解できるように伝える技術を身につければつけるほど、人と深くつながることができるようになりました。私は孤独からだけではなく、人生そのものも救われました。

あなたがもし、孤独から逃れたい、誰か本当に自分を理解してくれる人がほしいと思っているのなら、いまこそ、その心を表現する技術を身につけるときです。

私たち人間は「関係性・有能さ・自律性」という3つの心理的な欲求が満たされているときに自己実現し、健康で幸せに生きられるといわれています。たとえ、あなたが誰も自分と親しくなんてなりたくないだろうと思っていても、現実には誰もがあなたと親しくなりたいのです。

心をつかむ会話の技術は、慣れるまで難しいかもしれないけれど、できるようになって得られるものは、あなたの想像をはるかに超えるものとなります。

人は人によって救われます。

あなたが救われれば、あなたは誰かの救いになるのです。

塚越友子（水希）

本作品は、こう書房より2009年11月に刊行された『昼間は心理カウンセラー 銀座No.1ホステスの心をつかむ話し方』を改題したものです。

水希（みずき）

本名、塚越友子。東京中央カウンセリング代表心理カウンセラー。スイス生まれ。東京女子大学大学院社会学修士号取得（社会心理学専攻）。卒業後、編集プロダクション、広報室長として働くも過労から内臓疾患をいくつも併発、薬の副作用をきっかけにうつを発症。カウンセリング治療を受けながら、比較的時間の融通がきく銀座ホステスの仕事を選ぶ。治療の際に体験した社会経験のないカウンセラーの対応に疑問を抱き、一念発起してカウンセラーの勉強を始めた途端、ホステスとしても開花。銀座の一流のお客様の社会に向かう姿勢から、男女問わず良好な人間関係を築くためのコツを見つけ出し、No.1に。現在は、大学院での専門性と銀座の経験から、エビデンスに基づいた患者の問題状況分析と具体的な行動指針を助言する独自のカウンセリング技法で解決率は94・7%。
主な著書には、『辞める前に読む！』（世界文化社）、『大好きな彼があなたと結婚したくなる本』（こう書房）、『モテようとしなくてもモテる女になれる本』（大和出版）などがある。

だいわ文庫

銀座《ぎんざ》No.1ホステスの心《こころ》をつかむ話《はな》し方《かた》

著者　水希《みずき》

二〇一五年一〇月一五日第一刷発行
二〇一七年八月一五日第一三刷発行

発行者　佐藤 靖
発行所　大和《だいわ》書房
東京都文京区関口一-三三-四 〒一一二-〇〇一四
電話 〇三-三二〇三-四五一一

フォーマットデザイン　鈴木成一デザイン室
本文デザイン　松好那名(matt's work)
本文イラスト　朝日メディアインターナショナル
本文印刷　歩プロセス
カバー印刷　山一印刷
製本　小泉製本

ISBN978-4-479-30560-6
乱丁本・落丁本はお取り替えいたします。
http://www.daiwashobo.co.jp